M000218465

COMPRENDIENDO A
tu hijo de
1 año

Colección Clínica Tavistock

DIRIGIDA POR ELSIE OSBORNE

Deborah Steiner

DE LA CLÍNICA TAVISTOCK

COMPRENDIENDO A
tu hijo de 1 año

PAIDÓS

Barcelona
Buenos Aires
México

Título original: *Understanding your 1 year old*
Publicado en inglés por Rosendale Press Ltd., Londres

Traducción de Fernando Cardenal Alcántara

Cubierta de Mario Eskenazi

1ª edición, 1996

Quedan rigurosamente prohibidas, sin autorización escrita de los titulares del «Copyright», bajo las sanciones establecidas en las leyes, la reproducción total o parcial de esta obra por cualquier método o procedimiento, comprendidos la reprografía y el tratamiento informático, y la distribución de ejemplares de ella mediante alquiler o préstamo públicos.

0695

© 1992 by The Tavistock Clinic, Londres
© de todas las ediciones en castellano,
   Ediciones Paidós Ibérica, S. A.,
   Mariano Cubí, 92 – 08021 Barcelona,
   y Editorial Paidós, SAICF,
   Defensa, 599 – Buenos Aires

ISBN: 84-493-0310-9
Depósito legal: B-38.896/1996

Impreso en Gràfiques 92, S. A.
Torrassa, 108 - Sant Adrià de Besós (Barcelona)

Impreso en España – Printed in Spain

La clínica Tavistock, de Londres, fue fundada en 1920 para asistir a personas cuyas vidas habían quedado maltrechas a consecuencia de la Primera Guerra Mundial. Hoy sigue dedicada a entender las necesidades de las personas, aunque está claro que los tiempos y la gente han cambiado. La clínica sigue trabajando con adultos y con adolescentes pero, además, hoy tiene un gran departamento dedicado a los niños y a las familias. El departamento presta ayuda a padres amedrentados ante el desafío que representa la crianza de sus hijos, lo cual le ha dado una gran experiencia en niños de todas las edades. La clínica está decididamente a favor de intervenir lo antes posible en todos los problemas que inevitablemente surgen a medida que los niños crecen, y opina que, cuando los problemas se afrontan a tiempo, las personas más indicadas para resolverlos y ayudar a los niños son los mismos padres.

El personal profesional de la clínica está encantado de haber podido colaborar en esta serie de libros que describen el desarrollo ordinario del niño, y de haber podido así ayudar a señalar las dificultades que a veces se presentan y el importante papel que los padres están llamados a desempeñar.

LA AUTORA

Deborah Steiner estudió idiomas en la Universidad de Londres, ha sido maestra de escuela primaria y ha escrito para la Radio Escolar de la BBC y para la Televisión Infantil de la ITV. Se formó en psicoterapia infantil en la clínica Tavistock y es psicoterapeuta infantil en el Servicio Enfield de Niño y Familia. También forma parte del personal agregado de la clínica Tavistock. Asimismo se formó como psicoanalista en el Instituto de Psicoanálisis y trabaja de analista en la práctica privada. Está casada y tiene tres hijos.

Entre sus escritos figura «The Internal Family and The Facts of Life», publicado en el *Journal of Psycho-analytic Psychotherapy* (1989), vol. 4, n. 1.

Nota de la autora:

He usado el género masculino al referirme al niño y el género femenino al referirme a la persona que lo cuida, si bien soy consciente de que esta persona puede ser un varón y de que el niño puede ser una niña.

Deseo expresar mi gratitud a mi colega Dilys Daws por su ayuda al escribir este libro.

Deborah Steiner

SUMARIO

INTRODUCCIÓN

Este libro trata de la vida del niño de 12 a 24 meses. El objetivo principal del libro es explicar algunos comportamientos del niño y, si es posible, dar al lector una idea de lo que debe de ser sentirse un niño de esa edad. De los 12 a los 24 meses el niño aprende muchísimo, pero sobre todo aprende a ser una persona distinta como tal de las demás, separada de las demás, capaz de hacer cada vez más cosas por sí misma. El desarrollo es rápido a esa edad, aunque esté entremezclado con períodos de estancamiento y aun con períodos de regresión a una etapa anterior. Esos cambios y el modo en que la familia reacciona a ellos afectan al sentimiento que el niño tiene de sí mismo y van definiendo sus relaciones con su entorno.

Durante el primer año el bebé y la madre están ocupados con toda intensidad en conocerse recíprocamente. Si todo va bien se adaptan a estar juntos, a estar en contacto por lo menos la mayor parte del tiempo. Durante ese primer año el bebé depende enteramente de la madre, y tiene sus necesidades satisfechas gracias al amor de ella y a sus cuidados. Ese bebé no es consciente de que está dependiendo de otra persona, sino que percibe a la madre como algo que se adapta enteramente a sus necesidades. Por su parte, la madre se siente halagada por esa necesidad tan exclusiva que el bebé tiene de ella, aunque a veces se sienta también esclavizada por los incesantes requerimientos de «su majestad el bebé».

Hacia el año la situación, aun manteniéndose básicamente la misma, va cambiando. Al celebrar el primer cumpleaños del niño los padres se felicitan de haber podido sortear todas las vicisitudes de esos primeros doce meses; todo un éxito tanto para ellos como para el bebé. Gracias a los padres el bebé está ahora bien asido a la vida y puede dedicarse a seguir creciendo. El horizonte del bebé se ha ido ensanchando y aclarando y en él ha empezado a aparecer la madre como una persona separada, y han comenzado a aparecer otros miembros de la familia. También el bebé se ha ido haciendo una persona aparte y pronto empezará a andar.

El año que va de los 12 a los 24 meses es muy especial ya que en este período el niño crece físicamente a un ritmo increíble. Algunos niños crecen como a saltos, mientras que otros lo hacen de manera más sostenida y regular. Para un niño de esa edad el mundo es un lugar fascinante, que alberga una infinita variedad de secretos que tiene que descubrir, y parte del placer que siente está en desplegar un serio celo en descubrirlos. El niño de esa edad tiene la habilidad —que los adultos ya hemos perdido— de encontrar interesantes cosas que a nosotros nos parecen insignificantes, y su curiosidad y energía son ilimitadas.

CAPÍTULO PRIMERO

HITOS DEL DESARROLLO: ANDAR Y HABLAR

Al tiempo, más o menos, del primer cumpleaños la mayoría de los niños ya han aprendido a moverse solos de acá para allá, generalmente a gatas. Después de eso el paso siguiente es ponerse de pie. No todos los niños se molestan en pasar por la etapa de andar a gatas. Una madre nos contó que su hijo se contentó con sentarse hasta que a los 15 meses se puso a andar de pie. En cambio hablaba muy bien, como si hasta entonces hubiera estado concentrándose en esta área del desarrollo. Una niña, Jane, nunca anduvo a gatas a la manera corriente sino que inventó una curiosa manera, muy eficaz para ella, consistente en avanzar sentada empujándose con el pie izquierdo. Su madre recordaba divertida cómo Jane avanzaba por el salón de ese modo tan raro pero a toda velocidad en cuanto oía el ruido de la llave del padre en la cerradura. Con todo, los padres empezaron a preocuparse cuando Jane cumplió el año y seguía sin dar ninguna muestra de querer ponerse de pie. Empezaron a preguntarse si tendría algo anormal. ¿Deberían llevarla al médico? ¿Deberían sostenerla ellos de pie? ¿Deberían esperar un poco más? Su preocupación se tornó en alegría cuando de pronto, un mes más o menos antes del segundo cumpleaños, se puso ella sola de pie. Conseguido esto, Jane aprendió rápidamente a andar.

Hay bebés que van haciendo todos esos adelantos con total sencillez, mientras que otros encuentran toda clase de dificultades. Barney pasó por una etapa muy irritante cuando aprendió a ponerse de pie pero no podía decidirse a dar un paso, y su madre tuvo que soportar varias semanas de frustración y de tensión. La mayoría de los padres siguen los esfuerzos del niño por sostenerse de pie y andar con una mezcla de gozo, orgullo y ansiedad. Ver al niño ponerse de pie, caerse y bregar por ponerse otra vez de pie nos produce asombro por la tenacidad y determinación que el niño despliega para aprender, y las frustraciones que tiene que superar para ello. Empezar a andar es un hito importante. También los padres ponen mucho esfuerzo en ello y se sienten recompensados cuando llega. Estos hitos del desarrollo infantil son de enorme importancia a los ojos de los padres. Si tardan en presentarse producen inquietud. Si, por el contrario, el niño anda y habla pronto, los padres se sienten orgullosos y tienen un sentimiento interno de triunfo, sobre todo si ocurre que su niño es más precoz que el de los vecinos. Es natural que se dé en ello cierta rivalidad entre los padres, pero si ésta se hace excesiva lo probable es que tenga que ver con ansiedad generada por los éxitos y fracasos de los propios padres.

Una visión diferente del mundo

Cuando el niño adquiere la capacidad de trasladar- se por sí solo, de ir él solo a otra habitación para buscar un juguete, para ver lo que hay o, simplemente, por el placer de andar, el mundo se convierte para él en algo muy diferente de lo que era hasta entonces. Al ponerse de pie cambia el plano de visión del niño, ya que ve desde más arriba, y además sus manos quedan libres. La inclinación natural a explorar, que hasta entonces hubo de quedar li- mitada a su propio cuerpo, al de la madre y a las cosas que se le daban, ahora es realizable en mucha mayor medida. Ahora el niño puede tocarlo todo, y tocar cosas situadas a mayor altura. Los armarios de la cocina, las estanterías, los pomos y picaportes, los interruptores, los cajones; todo se hace de pronto pasto de su curiosidad. El niño que aca- ba de echar a andar está todo el tiempo en movimiento, como si tuviera que practicar y perfeccionar esa habilidad nueva de andar. Con frecuencia el niño pasa a esta edad por una etapa de júbilo en que parece encantado consigo mismo e insensible a los golpes y a las caídas. Parece como si estuviera repleto de un sentimiento de omnipotencia, como si el mundo fuera suyo. Una madre describió a su

hija en esa etapa diciendo que era «como si estuviera ena-
morada del mundo».

Una vez de pie, más identificado que antes con el
mundo adulto y tomando ya decisiones sobre sus idas y
venidas, el niño empieza a explorar psicológicamente el
hecho de separarse más y más de su madre. Las crecientes
expresiones de independencia van acompañadas de sentimientos de mayor seguridad en sí mismo, sentimientos
que con frecuencia sus padres no perciben y que él quiere
le sean reconocidos. Esto exige reajustes emocionales, sobre todo por parte de la madre, que siente pena al ver que
la relación exclusiva que tenía con su bebé va cambiando
rápidamente. Las madres para las que esa intimidad abso-
luta con su bebé era especialmente gratificante pueden tener dificultad para aceptar esa nueva actitud afirmativa del
niño que ya anda.

Lo curioso es que la progresiva separación de la madre le trae al niño nuevas ansiedades. El niño se sabe menos indefenso que antes pero, al mismo tiempo, al ser más
consciente de todo se va dando cuenta de lo mucho que
no puede hacer y de que el mundo no es suyo ni está bajo
su control, como antes creía. Se siente herido en su au-
toestima al verse obligado a reconocer su pequeñez y su
vulnerabilidad, y sufre al comprender que su madre, que
sigue siendo el centro de su mundo, es un ser independiente que tiene sus intereses y deseos propios, distintos
de los suyos. Siente miedo a perderse o a ser abandona-

do, y ese miedo produce conductas típicas en los niños que hace poco que han comenzado a andar. Es frecuente que se desprenda airadamente de las rodillas de la madre y eche una carrerita para, acto seguido, volver rápidamente a la madre como si quisiera sentir la seguridad de que está todavía allí, de que puede volver a ella en el momento que quiera. Es curioso ver que bastan cinco o diez minutos de «recarga» emocional junto a la madre para devolver al niño la fuerza para volver a salir disparado a reanudar sus exploraciones. Otra actitud es la del niño que se desprende y se marcha corriendo pero no vuelve, obligando a la madre a ir en su busca. Con frecuencia esto se convierte en un juego del que el niño repleto de energía disfruta mucho, y a veces también lo hace la madre, aunque tenga menos energía que el niño. Además de ser un juego, el niño intenta asegurarse, con esta conducta, de que la madre esté atenta a él y no permita que se pierda. También pretende someter a prueba la buena voluntad de la madre para permitir sus intentos de libertad. Muchos otros niños que empiezan a andar sólo quieren caminar agarrados a un dedo de la madre como si ésta fuera un mero apéndice del niño, una especie de andador mecánico.

Oscilaciones entre independencia y apego

Con frecuencia, con los brotes de independencia y las escapadas que hace el niño se intercalan ataques de apego a la madre en los que se muestra timorato e incapaz de hacer nada él solo. No quiere que la madre se aleje de su vista, como si de pronto le hubiera dado miedo tanta libertad y quisiera volver a ser el bebé de su mamá. Sigue a su madre a todas partes agarrado a su falda, llora para que lo coja y no la deja ni tan siquiera ir al retrete sin él. En algunos niños estos ataques de apego llegan a ser desconcertantes. Otros niños pasan por tales etapas con menos insistencia. Hasta cierto punto es cuestión de temperamento. Para la madre la dificultad radica en ajustarse a esos cambios. Necesita dejar que el niño vaya a su ritmo y ver, casi siempre intuitivamente, cuándo ha de animar al niño que está pasando una fase excesiva de apego y cuándo frenarlo si se excede en su independencia. A veces, en este período el niño no sabe exactamente lo que quiere, si quiere que lo dejen en libertad o si quiere que se lo mantenga pegado a uno. La madre de Barney pasó por un corto período en el que el niño lloraba y gemía para que lo cogiera y, tan pronto como lo tenía sobre sus rodillas, lloraba otra vez para que lo dejara bajarse. Parecía querer ser capaz de apartarse de su madre y al mismo tiempo no estar seguro de que debiera hacerlo.

A muchas madres les preocupa que su niño que tiene ya un año pierda ímpetu y quiera volver a ser un bebé, temen que no avance y no llegue a ser independiente. Hemos de tener presente que a esta edad la independencia no es más que relativa, y que las incursiones en el mundo adulto todavía no son seguras; en realidad el niño es aún muy pequeñito y tiene mucha necesidad física y emocional de su madre.

El habla

Desde el día mismo del nacimiento hay comunicación entre la madre y su bebé. La madre se comunica por el tacto, la mirada y la voz. En el cuidado físico, en el modo de ocuparse de él, la madre está expresando sus sentimientos hacia el niño, y esto constituye una experiencia psicológica para él. Las madres tienden instintivamente a hablar con sus bebés, no solamente porque ése sea el modo habitual de comunicarse los adultos sino también porque su voz salva la distancia. En los ratos en los que no tiene al bebé en sus brazos, su voz es para él como si siguiera teniéndolo cogido. Con frecuencia, la madre habla como si pusiera en palabras lo que el bebé está sintiendo en ese momento, o da nombre a lo que el bebé está mirando. Algunas madres utilizan la voz en este sentido más que otras pero en cualquier caso es vital hablar con el bebé durante la rutina diaria de ocuparse de él, para que se acostumbre a los sonidos y más tarde a las palabras.

En esta edad temprana el bebé se comunica con la madre mediante los mismos sentidos, pero de otra manera. Tal vez el bebé la mire mientras lo alimenta. Cuando ella le habla él mueve los brazos como queriendo acercarse a ella. El bebé vuelve la cabeza hacia el pecho de la madre al sentir su calor y su olor, y al mamar con ganas y tocar el pecho o la ropa de la madre le comunica a ésta el placer que siente por estar tan cerca de ella. Por lo demás, está claro que el modo más importante y más rápido que el bebé tiene de llegar a la madre es con su llanto y sus gritos, cuando está molesto o le duele algo, y las madres aprenden pronto, por instinto o por experiencia, a distinguir el llanto del bebé.

La importancia de hablarle al niño

Hacia el final del primer año, cuando el bebé se va separando ya algo más de la madre, empieza a emitir sonidos más complejos, más parecidos a palabras, como copiando las palabras que le dice la madre. Expresa el deseo natural de establecer contacto con ella, basado en la experiencia del contacto que supone oír a la madre. Al principio el bebé goza emitiendo sonidos que la madre repite, lo que lo ayuda a ir definiéndolos cada vez más claramente. Los primeros sonidos suelen ser *mama* o *papa* o *aba*, y más tarde aparecerá la importante palabra: *no. Mama, papa y aba*, que son las palabras más significativas para el bebé, parecen derivar de los sonidos que el bebé emite de forma natural. Después, las palabras que el niño que empieza a andar va aprendiendo varían según sus experiencias y los intereses de la familia. La edad a la que el niño dice su primera palabra y la velocidad a la que continúa aprendiendo a hablar varían enormemente de un caso a otro. Un niño puede hacer acopio de un vasto vocabulario a edad muy temprana mientras que otro puede tener mucho interés por lo que ocurre a su alrededor y sin embargo seguir con un habla muy simple. Si el niño se muestra despierto en general y se interesa por su entorno, no hay que preocuparse por el hecho de que la adquisición del lenguaje se retrase.

El niño de un año aprende gradualmente a pedir lo que quiere con palabras más que con gestos, aunque al principio gestos y palabras vayan juntos y las palabras representen sólo una parte de la comunicación. Con frecuencia la situación se comprende por sí misma sin palabras, o basta con el tono de la voz de la madre sin que el niño necesite diferenciar las palabras. Así es como la madre va enseñando al niño a hablar, y a partir de esas situaciones que no ofrecen ninguna duda el niño va cogiendo las palabras nuevas que hacen al caso. Al hablar con su niño la madre debe repetir frecuentemente una palabra o una frase pronunciadas claramente; pero también debe hablarle con frases seguidas, para que el niño comprenda que hay conexión entre las palabras. Esto también es algo que la mayoría de las madres hacen desde muy pronto, aun a sabiendas de que el niño no comprende todavía las palabras en sí. Mientras le prepara la comida le va diciendo al niño lo que está haciendo, o mientras lo viste le va diciendo adónde van a ir, y lo que harán cuando vuelvan a casa. Así, oír de esa manera las palabras de la madre acostumbra al niño a sonidos y palabras en un contexto agradable en el que se siente incluido. Además, su experiencia se enriquece al oír los diferentes tonos y cadencias de esa voz de la madre, experiencia que utilizará más tarde cuando haga él mismo sus frases, como quedará demostrado cuando en su día oigamos al niño hablar con una voz que es claramente la nuestra.

Las canciones de cuna junto a juegos de movimiento del tipo de «Cinco lobitos tiene la loba...» o «Aserrín, aserrán las campanas de San Juan...» son muy útiles a la vez que divertidos. El bebé se familiariza con las palabras mediante la constante repetición en el contexto placentero que proporciona el contacto físico con la madre o el padre.

El desarrollo del lenguaje implica también el de la capacidad de razonar, de establecer relaciones, de prever la acción siguiente. A sus 18 meses a Michael le encantaba que lo llevaran a casa de su abuela, desde donde podía ver pasar los trenes muy de cerca. Antes de que apareciera un tren ya estaba diciendo, en tono entre pregunta y aserción, «van a venir trenes». Había aprendido a acordarse de las visitas anteriores y a asociar la visión de los raíles con la llegada de los trenes. Su voz adquiría tonalidades muy ricas, indicativas de impaciencia y gozo anticipado. Parecía que decir las palabras en esos tonos lo ayudaba a soportar la espera, algo que nunca es fácil para un niño pequeño.

La importancia de escuchar al niño

Así llegamos a uno de los factores más importantes en el aprendizaje del habla. El niño no es capaz de coger al vuelo sin más el lenguaje de los adultos que se produce a su alrededor. Necesita que la madre u otros miembros de la familia le hablen a él y que escuchen sus respuestas. Los niños que se crían en instituciones y carecen de una madre o de un substituto materno que consagre tiempo y atención primero a sus balbuceos y luego a sus palabras no llegan a adquirir más que un vocabulario muy limitado. También los niños pequeños de familias numerosas pueden ser lentos en empezar a hablar, debido a que, si bien puede haber mucha habla a su alrededor, quizá no haya nadie que se tome el tiempo de hablarle a él y de escuchar con calma lo que él trata de decir. Los esfuerzos del niño por hacerse entender se pierden en la barahúnda general. En las familias en las que han precedido ya muchos otros hermanos y hermanas puede ocurrir también que se prevean con demasiada rapidez las necesidades del niño y que no se lo deje esforzarse en encontrar él mismo las palabras apropiadas.

Uno de los mejores modos de ayudar al niño a comprender palabras al mismo tiempo que enriquece su saber es sentarse con él en ambiente tranquilo, por ejemplo en la cama, a mirar juntos un libro de estampas. El niño empieza por disfrutar oyendo a la madre o al padre hablarle de las estampas, y termina por animarse a decir palabras él mismo. Llegar a ser capaz, por ejemplo, de mirar la representación de una taza e imaginársela y pensar acerca de ella es ya para el niño un paso intelectual importante que va más allá de simplemente ver lo que está enfrente de él. Estar en las rodillas de la madre o a su lado o al lado del padre al final de un día cansado reconforta al bebé y le hace asociar el acto de aprender con el placer compartido y con el sentimiento de seguridad.

CAPÍTULO SEGUNDO

EL NIÑO DE UN AÑO Y LA FAMILIA

En el capítulo 1 hablé de la creciente capacidad del niño de un año para controlar su cuerpo y explorar el medio físico que lo rodea. El uso de palabras hace que el niño se sienta con mayor dominio de la situación. La clase de relaciones que establezca con su entorno en esta fase del desarrollo dependerán mucho de las primeras relaciones que haya tenido con la madre, y a partir de ahí tomarán forma sus sentimientos íntimos como persona.

Reacción frente al aumento de independencia

Las madres reaccionan de modos muy diversos frente al comportamiento de sus hijos. La mayoría experimentan una sensación de alivio al ver que el niño que era antes tan absolutamente dependiente de ella es ahora un niño fuerte y capaz de manejarse él solo, al menos hasta cierto punto. Algunas son más conservadoras y lentas para adaptarse a la creciente individualidad del niño. Otras han disfrutado tanto de la experiencia de tener un bebé dependiente de ellas solas que no están muy dispuestas a dejarlo ir, y se resienten secretamente porque el niño ya no las necesite con tanta exclusividad como antes. Otras madres no sienten que la intimidad física con el niño sea tan agradable y, por ejemplo, prefieren alimentarlo con biberón y esperan con ganas el día en que el niño se ponga de pie, empiece a tomar alimento sólido y coma por sí solo. Estas madres se encuentran más a gusto cuando el niño empieza ya a ser algo independiente. En realidad, la mayoría de las madres reconocen que han pasado en distintos momentos por esas tres actitudes. Contribuyen a ello las circunstancias del caso y también la personalidad de la madre, personalidad que, a su vez, viene dada por sus experiencias infantiles. Lo habitual es que se mezclen por un lado alegría y orgullo por el rápido crecimiento del niño y, por otro, tristeza y sentimiento de pérdida por tener que renunciar a esa relación tan exclusiva con el niño.

Cuando el niño empieza a darse cuenta de que la madre tiene otros intereses y preocupaciones además de él recibe un golpe importante. Hacen falta mucho tacto y sensibilidad para ayudarlo a comprender que él no es el centro del mundo. Al mismo tiempo que se lo ayuda a encarar esa realidad no deseada se lo anima a encontrar solaz en otras relaciones y se lo estimula a ensanchar el mundo de sus experiencias con otras personas. En esta fase adquieren importancia otros adultos, así como hermanos y hermanas, y a medida que el mundo del niño se ensancha el padre se va convirtiendo en una figura más y más significativa, en sí misma y como alguien que guarda una relación especial con la madre.

Desde muy temprano el bebé se comporta de modo distinto con relación a la madre de como se comporta con relación al padre. Las relaciones emocionales entre niño y madre tienen una raíz muy honda y son a menudo dolorosas. La dependencia que tiene de la madre es distinta de la del padre. El que el padre salga de casa por la mañana y regrese por la noche da al niño la oportunidad de experimentar separaciones y le enseña a mantener una relación menos intensa, aunque también es verdad que el niño puede sentir profundamente las ausencias del padre. La reaparición del padre al final del día suele ser un gran acontecimiento, y hasta cierto punto el niño puede vivirlo como una buena oportunidad de escapar de su intensa relación con la madre. El niño siente amor hacia la madre pero siente también hostilidad hacia ella, sobre todo cuando se siente frustrado por ella, y la reaparición del padre al final de un largo y cansado día juntos puede ser todo un alivio tanto para la madre como para el niño. Al volver a casa, el padre puede tener que intervenir para poner fin a un conflicto en el que se han enzarzado madre

y niño —por ejemplo, con motivo de la comida— y del
que no saben salir. A falta del padre, otro adulto como un
abuelo o un amigo o amiga cercanos con quien el niño
esté familiarizado puede intervenir de vez en cuando
para darle un respiro a la madre y aligerarla del peso de
estar todo el día con un niño inquieto.

Sentimientos encontrados
con respecto al padre

También los sentimientos hacia el padre son sentimientos encontrados, tanto en el niño como en la niña.
El niño (o niña) de un año entiende ya que sus padres son
una pareja, lo que no siempre le agrada. Cuando percibe
que la relación entre sus padres es de apoyo mutuo amistoso, el niño se siente a todas luces tranquilo y seguro. Con
toda razón, a veces el niño quiere que se lo incluya en esa
relación. Cuando el padre regresa a casa y se pone a hablar con la madre, el niño quiere meter baza, sobre todo
si ha aprendido alguna palabra nueva o ha hecho algún
nuevo descubrimiento. Esto forma parte de su deseo natural de ser visto ya como un individuo miembro de la
familia. Pero, una vez más, el niño experimenta entonces
sentimientos encontrados. La relación entre los padres
despierta en él rabia y celos, por lo que quiere mantenerlos separados. Quizá se haga el remolón para no irse a la
cama a su hora, o puede aparecer y meterse entre los dos
en medio de la noche y negarse a volver a su cama. Aho-

ra que ya sabe andar puede hacer sentir de ese modo su presencia. También durante el día su empeño por «estar los tres juntos» puede esconder el deseo de separar a los padres. Cuando, a sus 23 meses de edad, Michael gritaba furioso: «¡No hablar!» y hacía todo el ruido que podía golpeando la mesita de su silla alta, estaba dejando bien claro que no podía soportar el interés que sus padres estaban tomándose el uno por el otro.

Durante este segundo año se agudizan las diferencias entre niño y niña en la manera de actuar frente a los padres. Para el niño el padre es una figura admiradísima, una figura que debe imitar y con la que desea identificarse. No obstante, ese niño varón está aún demasiado impregnado del sentimiento de posesión de la madre, y a veces ve al padre como un gigantesco y amenazador rival que quiere llevarse a la madre y que se enfadará con el niño por quererla éste para sí. De modo semejante, la niña desarrolla una intensa relación con la madre y empieza a identificarse con ella. El deseo de la niña de tener también una relación especialmente estrecha con el padre la hace sentirse rival de la madre, de quien todavía depende. Con frecuencia las niñas se hacen muy cariñosas con el padre y flirtean con él, hasta el punto de que pueden llegar a hacer que la madre se sienta herida, desplazada. La preferencia del niño por uno de sus padres puede hacerse tan obvia que los padres lleguen a no saber cómo controlar sus propios sentimientos, sobre todo en momentos de enfado o de pelea entre ellos.

En esta edad tanto los niños como las niñas sienten mayor pesar por el enfado del padre que por el de la madre. Esto le ocurrió a Anna cuando tenía unos 20 meses. Al oír la llave del padre en la cerradura de la puerta de entrada corrió toda excitada a su encuentro. El padre había recogido las botellas de leche que estaban todavía en el escalón y Anna le pidió una para llevarla a la cocina. En su excitación se le cayó al suelo y puso todo perdido de leche y de cristales. El padre se irritó y le habló con dureza. Anna se sintió abatida, rompió a llorar con desolación y corrió hacia su madre, que la cogió en brazos y la consoló. Tardó mucho tiempo en pasársele el desconsuelo y en poder volver a sentirse amiga del padre. Su deseo tan vivo de agradarle y de enseñarle que era una niña lista había terminado en fracaso, y eso era más de lo que podía soportar.

Ser hijo único o tener hermanos

El niño de un año que es primogénito o hijo único disfruta de una relación especial con los padres. Tiene su amor y su atención para él solo sin tener que compartirlos con otros niños de la familia, pero también puede ser extenuante para el niño único tener que concentrar en sus padres toda la intensidad de sus emociones, y ser él el único blanco al que sus padres dirijan toda su atención y en el que pongan todas sus esperanzas. Ser hermano menor significa no conocer el lujo de sentirse alguien tan especial como el primero o único hijo, y significa tener que competir desde el primer momento para obtener la atención de la madre. La ventaja que tiene ser hermano menor es la de estar desde el principio inmerso en el ajetreo de una familia que ya tiene establecidas sus relaciones. Este niño dedica la mayor parte de su tiempo a observar las idas y venidas de sus hermanos, unas veces perplejo, otras admirado, otras desconfiado. La relación del niño con sus hermanos dependerá, por supuesto, de la personalidad de cada uno pero también en gran parte de las diferencias de edad.

Elizabeth tenía dos hermanos mayores, Ann, de 5 años, y Charlie, de 6 años y medio, ambos muy unidos entre ellos. Esperaron la llegada de la hermanita Elizabeth con gran excitación y alborozo y se sintieron aliviados y contentos cuando al fin llegó al mundo sana y salva. Los dos se hicieron compañía y se apoyaron mutuamente, como si el mantenerse unidos los ayudara a compensar el sentimiento que tuvieron de estar quedándose fuera de juego cada vez que la madre se preocupaba por el bebé. Mientras el bebé fue pequeño y dormía casi todo el día podían hacer caso omiso de él tranquilamente, pero los problemas aumentaron desde el momento en que la hermanita echó a andar y se convirtió ya en alguien con quien había que contar.

Los progresos del hermanito menor preocupan a los hermanos mayores que son aún pequeños y no hace mucho que dejaron ellos mismos de ser bebés. Por supuesto que también ocurre que un niño de 3 años esté genuinamente encantado de ver los progresos que hace su hermanito o hermanita menor que empieza a andar, pero habrá veces en que se sienta amenazado en su propia seguridad aún no consolidada. William acababa de cumplir los 3 años y su hermano James tenía 14 meses. James estaba sentado en el suelo del salón con William mientras la madre estaba en la cocina preparando una taza de té para una vecina. William empezó a jugar con un murciélago de papel negro, que lanzaba al aire una y otra vez. James miraba con gran atención y gorjeaba feliz. William hizo volar el murciélago cada vez más cerca de James y acabó haciéndolo chocar con su cabeza, obligando al bebé a pestañear. Después William envolvió con el murciélago la cabecita de James cubriéndole los ojos. James se quejó, luego empezó a llorar más alto. Entonces William lo levantó en brazos diciéndole «ven que te cojo», pero acto seguido lo bajó y lo sentó de golpe en el suelo. En ese momento apareció la madre a ver qué pasaba y rescató a James.

Después, mientras la madre hablaba con la visita, James trataba de levantarse agarrándose a la mesa del té. William, que estaba echado allí al lado, tiró de él y lo hizo volver a sentarse y a continuación le dio un empujón y lo hizo caer de lado. La madre no lo vio y, cuando se agachó a ver por qué lloraba James, William dijo que el bebé se había dado en la cabeza. En ello se percibe que William se había puesto celoso por dos motivos. Uno, que la madre estaba hablando con su amiga y dos, que James empezaba a hacerse mayor y a hacer cosas por sí solo. Cuando lo recoge del suelo y lo levanta, William parece querer de verdad hacer de «madre» para su hermanito, pero en ese momento lo dominan los celos y lo pone en el suelo violentamente. Además, parece como si William hubiera querido con toda su alma ser él el bebé en vez de James, de modo que su madre lo cogiera y le arrullara a él. Por su parte, James está fascinado por las cosas que hace su hermano mayor y al mismo tiempo se siente un poco atemorizado por él.

Hay veces que es a los niños mayores a quienes hay que proteger de los ataques de sus hermanitos pequeños. La madre de Zoë se acuerda de una vez en que una amiga fue a tomar el té a casa y Zoë, que tenía 20 meses, estaba en el piso de arriba sospechosamente calladita. Fueron a buscarla y la encontraron en el dormitorio de su hermana mayor rompiendo una foto de ésta que había cogido de su mesita. Al parecer, no le había gustado mucho que su hermana se hubiera ido esa mañana a pasarlo bien con su abuela. La madre reprendió a Zoë suavemente y, dándose cuenta de que estaba celosa y se sentía herida, la cogió amorosamente en brazos mientras pegaba la foto con cinta adhesiva.

Otro embarazo

Cuando el niño ha cumplido ya los dos años de edad, los padres suelen empezar a pensar en tener otro bebé. A esa edad el niño, que está cada vez más pendiente de lo que hace la gente que lo rodea, advierte enseguida, incluso antes de que el embarazo de la madre sea evidente, que la madre está absorta en algo más que no es él. Puede no ser sino un vago sentimiento de que algo pasa. Con el tiempo encuentra que hay menos sitio para él en el regazo de la madre, y el niño puede empezar a sentirse fuera de juego incluso antes de que nazca el nuevo bebé. Cuando el niño se siente muy herido y triste por el embarazo de la madre, el padre o tal vez un abuelo al que el niño quiera especialmente pueden erigirse en su consuelo. También ayudará mucho al niño ver que los padres se dan cuenta del dolor que sufre, le hablan de ello y le permiten expresar algunos de sus sentimientos. La intensidad de los celos puede llegar a ser asombrosa y a expresarse en actos como golpear el vientre de la madre o hacer trizas el juguete favorito. En esta fase se dan alteraciones del sueño, dificultades con las comidas, rabietas y retrocesos en el control de esfínteres, que son simplemente modos que tiene el niño de un año de expresar emociones profundas ante acontecimientos preocupantes como es la presencia de un embarazo en la familia. Si se le habla al niño en términos que él comprenda acerca del nacimiento que se avecina y de las disposiciones que se van a tomar para ocuparse de él mientras la madre está de parto, el niño se siente incluido dentro del acontecimiento y comprende que conserva su sitio seguro en el seno de la familia a pesar de que venga el nuevo bebé.

Ocuparse al mismo tiempo del niño y del nuevo bebé

Ocuparse de un bebé al mismo tiempo que de un niño que ya ha echado a andar requiere bastante dominio de la situación por parte de la madre, sobre todo durante las comidas, cuando el bebé ha de tomar su alimento con la mayor tranquilidad posible y al mismo tiempo no se puede perder de vista al inquieto hermano. Michael no soportaba ver que su madre le daba el pecho a su herma-nita, y su madre ya no sabía qué hacer. En el momento en que se sentaba para darle el pecho al bebé, Michael empezaba a hacer maldades para que ella tuviera que le-vantarse e ir a su lado. A veces se lo podía calmar dándole a él un biberón al mismo tiempo, pero lo que hizo posi-ble que la madre pudiera descansar más fue la idea de me-ter a Michael en el corralito junto a sus rodillas, de modo que, mientras le daba el pecho al bebé, Michael podía sin más alargar la mano y tocarla, y ella podía tocarlo a él. Otra madre resolvió el mismo problema sentando al niño mayor en la otra rodilla y dedicándose a leerle un libro mientras el bebé mamaba.

Reacciones al sentirse abandonado

Contrariamente a la creencia popular, los bebés, in-cluso de muy pequeñitos, se dan cuenta de lo que pasa alrededor, pero es en su segundo año cuando los niños son ya intelectualmente bien capaces de relacionar cosas y hechos. Un ejemplo de lo que digo es el caso de Jane, que a la edad de 15 meses corría al frigorífico cada vez que su madre se dirigía a la puerta de la casa a recoger la le-che, ya que sabía que ésta se guardaba en el frigorífico. Otro pequeño de un año comprendía enseguida que la combinación de llegar la canguro y pintarse la madre los labios significaba que la madre iba a salir, aunque ya se lo hubiera olido por otros indicios tales como las prisas o la manera preocupada como le preparaba la comida. Cada bebé reacciona a su manera cuando la madre lo deja. Uno se pondrá a llorar al instante y se agarrará a ella al mismo tiempo que apartará a la persona que se va a quedar con él, incluso si es alguien a quien conoce y a quien quiere, como el padre o la abuela. Otro hará como si no le importara mucho pero será díscolo cuando la madre vuelva. Cuando Barney tenía 20 meses su madre lo dejó en una ocasión jugando con su padre en el jardín y se fue de compras durante una hora. Jugó alegremente subiéndose a unas grandes piedras que su padre estaba juntando para adornar el jardín. Regresó la madre y, cuando Barney la vio, se cayó de una altura de diez centímetros y empezó a berrear estrepitosamente hasta que la madre, que vio que el dolor era emocional más que físico, lo cogió y lo estrechó en sus brazos.

A veces, sobre todo tras una separación un poquito larga, cuando la madre vuelve el niño se comporta fríamente con ella y ésta tiene que convencerlo para que vuelva a ser amigo. Es como si el niño se creyera obligado a rechazarla en pago por haberlo rechazado ella al marcharse. Muchos niños de esta edad y también algo mayores arman la gran tremolina cuando la madre se va a ir, y luego se calman cuando ya se ha ido. Parece como si quisieran que fuera la madre la que se quedara con el disgusto. Escabullirse tratando de que el niño no se entere suele ser un error. La táctica evita a la madre el dolor momentáneo de ver la frustración del niño, pero a la larga el niño que se ve así decepcionado constantemente pierde la confianza en su madre y se hace inseguro. Ese niño puede reaccionar haciéndose muy pegajoso por miedo a verse abandonado de pronto. Es preferible que, tras asegurarse de que el niño ha comido bien y que se encuentra a gusto y en buenas manos, la madre suavice la separación diciéndole adiós al niño confiada y cariñosamente. Cuando el niño se hace mayorcito y comprende mejor, se quedará más tranquilo si la madre le comenta adónde va y cuándo volverá.

El valor que tienen las separaciones cortas

Separarse por poquito tiempo y de vez en cuando es saludable tanto para la madre como para el niño. Estar todo el día con un niño que ya ha empezado a andar es cansado y aburrido, y las madres necesitan gozar de treguas en compañía de adultos. La madre que deja por un poco de tiempo a un niño que exige constantemente su atención vuelve a él como nueva. También para el niño puede ser un alivio comprender que su impulso de posesión celosa no llega a impedir que la madre haga las cosas que quiere hacer. El tener que arreglárselas un ratito sin su madre animará al niño a profundizar en sus relaciones con otras personas tales como el padre, los hermanos u otros niños. También una niñera u otra persona puede contribuir a enriquecer su universo, siempre que la madre no se desentienda demasiado.

Es natural que los padres quieran que el niño crezca y se haga independiente, pero hay veces en que los padres van demasiado lejos y esperan del niño más de lo que éste puede dar de sí realmente. Se pueden equivocar y creer que el niño se siente independiente porque parece no importarle que la madre se vaya o vuelva, porque no reaccione ante su partida. No olvidemos nunca que es saludable y normal que el niño proteste cuando la madre lo deja. Con ello nos dice que la madre es importante para él, y debemos preocuparnos si un niño se muestra persistentemente indiferente al hecho de que la madre esté ausente o presente.

Hospitalización

Separaciones más largas pueden ser inevitables, como es el caso, por ejemplo, del niño a quien hay que hospitalizar. Hoy día las salas de niños de los hospitales tienen muy en cuenta sus necesidades. Suelen ser luminosas, decoradas con motivos alegres, disponer de muchos juguetes y tener personal especialmente formado. Lo normal es que las madres puedan estar con sus niños, algo muy distinto de la costumbre que existió hasta no hace mucho de despedirse a la entrada. La investigación muestra que los niños mejoran antes cuando las madres se ocupan de sus cuidados, al menos parte del tiempo.

De todas maneras, para un niño pequeño la hospitalización sigue siendo una experiencia desconcertante, como lo es también para el adulto. Debe ser siempre la madre o el padre quien lleve al hospital al niño de esta edad; si esto es imposible, deberá llevarlo un adulto al que el niño conozca bien y en quien confíe. Los niños que ya andan y son algo mayorcitos se sienten mejor si se les explica en palabras sencillas adónde van y qué les va a pasar. Incluso los pequeñitos que aún no comprenden muchas palabras agradecen que se les hable sobre lo que les ocurre, porque ello les manifiesta que sus temores son comprendidos. Los padres pueden sentirse intimidados por el hospital y el aire profesional de médicos y demás personal, pero vale la pena que hagan un esfuerzo por quedarse con el niño todo el tiempo que sea posible. También es importante que no se dejen engañar por los que dicen que a esa edad los niños no entienden y por lo tanto no se asustan. Un niño de un año despierto, que generalmente no se pierde nada de lo que ocurre, difícilmente no se dé cuenta de que está en un ambiente totalmente extraño.

Si hay otros niños en la familia quizá no le sea posible a la madre quedarse todo el tiempo con el niño en el hospital. El padre, los abuelos y hasta una vecina pueden acudir y echar una mano con los otros niños. Si la hospitalización dura unos cuantos días hay que llevar a los demás niños a ver a su hermanito al hospital. Esto tranquiliza al niño hospitalizado, al sentir que se lo considera un miembro importante de la familia, y le da fuerzas para afrontar sus miedos.

Aunque la madre sólo pueda visitar brevemente al niño hospitalizado, éste comprende que no ha sido olvidado, aunque luego llore amargamente cada vez que la madre o el padre se tengan que ir. Es muy doloroso pero significa que el niño se sigue sintiendo unido a sus padres, y es bueno que el niño pueda expresar su pena y que se dé cuenta de que la madre también la siente.

La vuelta de la madre al trabajo

Cuando el niño alcanza esta edad muchas madres empiezan a pensar en volver al trabajo. Sea que exista necesidad de ganar dinero o que la madre quiera reanudar su vida profesional, lo importante es analizar la mejor manera de actuar que satisfaga las necesidades del niño y de la madre. La actitud del niño ante la separación dependerá en parte de su temperamento y en parte de la relación que tenga ya establecida con la madre. Jane, la niña que −como expuse antes− tardó en ponerse de pie, soportó mal las separaciones a lo largo de toda su niñez, a pesar de que generalmente era una niña alegre, feliz y que mantenía una buena relación con su madre. Muchas son las cosas que pueden contribuir a que el niño asuma las separaciones, e incluso aproveche estas oportunidades para entablar más relaciones beneficiosas. Es importante para el niño y también para la tranquilidad de la madre que el niño se quede con alguien que el niño conozca y en quien confíe, preferiblemente en la propia casa del niño, rodeado de su objetos familiares. Es aún mejor si se puede cuidar al niño junto a un hermano o a otro niño. De todas formas, por buenas que sean las disposiciones que se tomen, es natural que el niño se altere ante un cambio importante en su vida, como es que la madre vuelva al trabajo. La señora Shepherd reanudó su trabajo cuando su hija Alison, su primer hijo, tenía un año de edad. Una persona había cuidado de Alison de vez en cuando durante el primer año, de modo que entre las dos ya existía un buen entendimiento. Algunas semanas después de que la madre empezara a trabajar, Alison entró en un período que duró varias semanas en el que no quiso tomar ningún alimento que le diera la madre y en cambio tomaba todo el que le daba su niñera, que se admiraba del buen apetito de la niña. Está claro que la madre veía con satisfacción que mientras ella trabajaba Alison fuera feliz y comiera bien, pero también fue doloroso para ella tener que soportar el rechazo temporal de su hija.

Aunque la separación de la madre pueda ser algunas veces necesaria, y hasta beneficiosa, los padres no deben aspirar a que un niño de esta edad sea demasiado independiente. A un año de edad el niño tiene todavía mucha necesidad de aferrarse a la madre. Quizás haya largos períodos en los que el niño sienta que puede bastarse a sí mismo y arreglárselas sin su madre pero, inevitablemente, vendrán momentos en los que esa confianza en sí mismo tan trabajosamente adquirida lo abandone y el niño vuelva a comportarse como un bebé.

Eso le ocurrió a Zoë cuando tenía 23 meses y su madre empezó a dejarla varias horas al día en una pequeña guardería. Tanto la madre de Zoë como las madres que llevaban la guardería estaban asombradas de ver que desde el primer día Zoë se había separado de su madre sin una lágrima ni un sollozo. No obstante, Zoë sintió ansiedad y la expresó aferrándose tenazmente a su fiambrera, sin soltarla ni un solo instante, durante todo el tiempo que permanecía en la guardería. Hasta que no volvía a casa no soltaba la fiambrera, y a partir de ese momento ya no se volvía a ocupar de ella. Al cabo de aproximadamente un mes Zoë se hizo mucho más apegada a la madre y empezó a sufrir más y más angustia cada vez que la madre la dejaba, como si el haberse comportado antes de un modo tan maduro hubiera sido excesivo para ella.

Ser madre o padre solos

Hasta ahora hemos hablado de las maneras de relacionarse el niño de un año que vive en una familia en la que hay un padre y una madre compartiendo las tareas de crianza. Hoy día es corriente que solamente uno de los padres, generalmente la madre pero a veces el padre, críe al niño. En el capítulo próximo hablaré de algunas cuestiones y problemas propios de los niños de esta edad que crean gran ansiedad y sensación de impotencia en los padres. La relación con el niño, sobre todo si tiene dificultades para dormir y para comer, es mucho más tensa y fatigosa cuando sólo la madre o el padre vive con el niño. La tensión puede hacerse intolerable si no se cuenta con alguna ayuda exterior tal como la que pueden proporcionar abuelos cariñosos y un vecindario amistoso. A veces la necesidad de dinero hace que la madre tenga que trabajar, al menos a tiempo parcial, lo que trae la complicación añadida de tener que encontrar alguien que cuide del niño. Algo que alivia las tensiones y la sensación angustiosa que se experimenta al estar todo el día a solas con un niño inquieto que ya anda es el contacto con otras madres con quienes compartir las ansiedades y las preocupaciones y con quienes intercambiar ideas sobre la crianza. Asimismo, tanto la madre como el niño saldrán beneficiados de entrar en contacto con grupos de madres y padres y de participar en otras actividades, cosas todas sobre las que pueden informar los asistentes sociales, las enfermeras visitadoras y los médicos de familia.

CAPÍTULO TERCERO

LA VIDA DIARIA DEL NIÑO DE UN AÑO

Los conflictos y las fatigas inherentes a los esfuerzos que hace el niño para afianzar su personalidad van a afectar a todos los aspectos de su vida diaria. Ya hemos visto cómo el sentimiento de hacerse independiente lo regocija y a la vez lo asusta, y cómo sus escapadas al mundo de los adultos, marcadas por etapas de afianzamiento triunfante y baches de querer de nuevo volver a ser un bebé, someten a los padres a nuevas exigencias.

Al tiempo de cumplir el niño un año, su rutina diaria habrá cambiado ya considerablemente y estará probablemente más acorde con el ritmo del resto de la familia. Sin embargo, el dormir y el comer llenan todavía una parte importante del tiempo, mientras que el juego va adquiriendo una importancia creciente. Una rutina regular da al bebé el sentido de orden, de saber lo que va ocurrir, y la tranquilidad de saber que las cosas se suceden en un orden y no se olvidan. A pesar de todo, el desarrollo no avanza siempre de modo uniforme sino que lo hace a costa de infinidad de vicisitudes y desarreglos, unos bien evidentes y otros no, que alteran al pequeño. En este capítulo nos vamos a ocupar de algunos de los problemas más frecuentes a esta edad.

El sueño

Los adultos estamos acostumbrados a sufrir períodos de insomnio, que aparecen generalmente cuando hay algo que nos preocupa, algún problema por resolver, quizás un estado de ansiedad del que apenas somos conscientes. Los bebés y los niños sufren también de ese tipo de trastorno, que produce alteraciones del sueño y pesadillas, con el agravante de que los niños más pequeños no tienen la capacidad verbal necesaria para expresar sus temores. Un niño que ha tenido una pesadilla se pone después nervioso durante varias noches a la hora de tener que ir a dormir. Un padre a quien se le preguntó por su niña de dos años contestó: «Es muy rica pero tiene la mala costumbre de despertarse en medio de la noche y empezar a llamarnos. Se tranquiliza en cuanto uno de nosotros acude y la abraza, pero no sabemos por qué se porta así». La primera noche había supuesto que aquello se debía a una pesadilla, pero ahora se preguntaba si no se habría convertido en una costumbre. La realidad es que con frecuencia no sabemos por qué un niño empieza a despertarse por la noche. Es posible que en el caso de la pequeñita antes mencionada se hubiera hecho una costumbre, y que podría requerir un poco de firmeza para corregirla. La mamá de Anna contó algo parecido: Anna se contentaba con que al despertarse por la noche pudiera ver a su madre. Hecho esto se volvía a dormir abrazada a su biberón, que se llevaba siempre con ella a la cama como si quisiera estar segura de que nadie se lo iba a llevar. Ésta es una forma de ansiedad de separación, en la que el niño tiene miedo de separarse de la madre y de su mundo diario familiar.

Parece ser un hecho que los niños difieren unos de otros por naturaleza en cuanto a la cantidad de sueño que necesitan. Incluso dentro de una misma familia, los diversos niños muestran diferencias marcadas en necesidad de sueño y modos de dormir. Un niño tenso, nervioso, se queda dormido con menos facilidad que otro que sea más plácido. Unos niños duermen más pesadamente que otros, y se despiertan menos con los ruidos. También la personalidad de la madre juega su parte, ya que una madre que tiene mucha ansiedad transmite la tensión al bebé y hace más difícil que el bebé se duerma.

La mayoría de los niños de un año duerme una siesta por la tarde y tiene un período de sueño más largo por la noche, aunque muchos se despiertan hacia la media noche y toman un biberón, tal vez más por gusto que por hambre. También a muchas madres les gusta darles esa toma, ya que suele ser la hora más tranquila, sin interferencias, una ocasión para revivir el tiempo ya pretérito de mayor intimidad con el bebé. A esta edad en la que se están sucediendo tantos cambios en el desarrollo y en la rutina diaria, la constancia de esta toma de alimento puede ser importante para los dos, la madre y el niño.

Los trastornos del sueño se manifiestan de varias maneras. Puede darse el caso de que el niño no quiera que lo acuesten; puede ser incapaz de dormirse, o quizá se duerma y luego se despierte varias veces durante la noche. Generalmente los niños de esta edad se van a la cama temprano, tal vez cuando el padre ya está en la casa y puede leerle una historia, dándole un respiro a la madre.

Con frecuencia en las casas hay aún mucho que hacer, sobre todo si hay niños mayorcitos y hay que preparar la cena. Añádase a esto el cansancio que tendrá el niño por todo lo que ha estado moviéndose, investigando, explorando, tal vez andando con otros niños, y es fácil imaginar que el niño se resista a dejar todo eso. Dejarlo significa no solamente dejar él la escena sino también dejar a la madre, al padre y a los demás niños.

La importancia del ritual de ir a la cama

Los ritos familiares de acostarse ayudan a calmar a un niño sobreexcitado. Estos ritos son una serie de actos que el niño sabe que culminan en ir a dormir, y que le hacen sentir que las cosas están bajo control. Pueden incluir un repaso tranquilo de lo que ha ocurrido durante el día y un relato de lo que se va a hacer al día siguiente. A la madre de un par de gemelos de 23 meses de edad para los que la hora del baño y de la cama era siempre una pequeña batalla le resolvieron la situación los propios niños, que empezaron a turnarse el puesto de ir el primero al baño, y ellos mismos llevaban la cuenta de a quién le tocaba cada día.

Por suave y amorosamente que se los quiera acostar, los niños de esta edad encuentran que la cama es un sitio frío y solitario, y por eso es típico que se lleven a ella toda clase de cosas. Algunos tienen que ordenar esas cosas de una cierta manera, cada juguete en su sitio dentro de la cuna. Acostarse representa la separación de la madre, y al llevarse con él sus juguetes preferidos el niño aprende a dominar los sentimientos de soledad. También puede ser que se identifique con su madre, acostando a toda la familia.

Michael tenía un osito de peluche y un panda. Mientras esperaba que le llegara el sueño se chupaba el pulgar y tenía al osito fuertemente abrazado alrededor del cuello; al mismo tiempo, el panda tenía que estar en la esquina de la cuna, junto a su cabeza, como montando guardia. También hubo un tiempo, hacia la edad de 18 meses, en que a Michael le gustaba tener las cortinas descorridas, para poder ver la luz de la calle, y las puertas del armario cerradas. Jane era incapaz de dormirse sin su mantita, a la que había cogido mucho apego en su primer año de vida. Cuando la ponían en la cuna apretaba la mantita contra su cara, se metía dos dedos en la boca y, suavemente, se pasaba una punta de la mantita por la mejilla hasta quedarse dormida. El juguete de acostarse de Zoë era un conejo. Zoë tenía que dar vueltas por la cuna hasta que se caía de sueño en cualquier postura rara pero siempre boca abajo encima del conejito.

Muchos niños de esta edad se apegan a algún objeto en particular, un juguete, una manta o una bufanda de la madre, y el apego puede ser tan fuerte que el niño se sienta desvalido sin su objeto. Quizás el niño necesite llevar el objeto a todas partes, o tal vez lo necesite solamente por la noche. Con su objeto a mano, el niño ya no se siente triste o solo; es como si tuviera una parte de la madre con él, dándole seguridad interior. La misma función cumple el chuparse el pulgar (hábito que preocupa —innecesariamente— a algunas madres), que da satisfacción al niño porque le proporciona algo suyo a lo que agarrarse, y tal vez le recuerde el pecho de la madre o el biberón.

Comprender y corregir los trastornos del sueño

Cualquier cambio en la vida del niño puede provocar un trastorno del sueño. Por ejemplo, estar fuera de casa y tener que dormir en una cuna extraña; o que la madre vuelva a trabajar y esté menos disponible para él; o la llegada de un nuevo bebé a la familia. Esos cambios y trastornos le recuerdan con dolor lo dependiente y vulnerable que es, y remueven el temor angustioso, siempre a flor de piel en el niño de un año, de quedarse perdido y olvidado. Como he dicho antes, la vigilia ansiosa puede convertirse en un hábito. A los 15 meses Jane tuvo un catarro que le dificultaba la respiración y que la hacía despertarse durante la noche con malestar y agitación, y su madre acudía a ella cada vez a consolarla. Jane se puso mucho mejor pero siguió gustándole la idea de que su madre corriera a ella cada vez que la llamaba, simplemente por ejercer un control sobre ella. Finalmente la madre tuvo que usar firmeza, darle las buenas noches y dejarla que llorara hasta que se durmiera. Cuando el niño va tomando conciencia de que sus padres son una pareja, puede llamarlos por la noche o trepar a su cama como maniobra para mantenerlos separados cada vez que se siente postergado y celoso. Es importantísimo darse cuenta de que el niño alberga esos sentimientos, y al mismo tiempo saber que se sentirá más seguro si ve que sus padres son capaces de decirle «no» cada vez que intente invadir su mundo privado. En estas ocasiones puede ser que restablecer la disciplina sea más fácil para el padre.

Tal vez lo verdaderamente duro para los padres de un niño que no puede dormir sea el no saber qué es lo que le pasa, qué es lo que lo pone inquieto y lo desvela, y tener que probar a hacer cosas para remediarlo. Abundan las historias de padres desesperados empujando el cochecito del niño a media noche alrededor de la manzana o sacándolo de madrugada a pasear en el coche, sufriendo agonía y desesperación cuando el niño se despierta una vez más en el semáforo o en el momento en que el padre lo está pasando con todo cuidado del coche a su cochecito. A veces sirve de ayuda pasear y mecer al niño en los brazos, y resulta menos cansado si hay un padre y una madre que puedan turnarse. No es fácil actuar indefinidamente con paciencia y con amor con un niño que llora a gritos sin parar a las dos de la madrugada, noche tras noche. La situación se hace imposible y hay que encontrar alguna solución que le permita descansar un poco a la madre.

Una madre recuerda vivamente su sensación de impotencia y de furia creciente yendo de un lado para otro incapaz de parar los gritos del niño, y las gracias que dio al cielo cuando vino su marido y se hizo cargo de la situación, en un punto en que su ira contra el niño empezaba a tomar visos peligrosos. Para una madre o un padre solos la pesadilla puede ser aún mayor, y se hace vital tomar medidas prácticas como procurar la ayuda de otro adulto para que la madre (o el padre) pueda dormir algo. Otras veces, como medida desesperada para conseguir dormir algo, los padres recurren a traer el niño a su cama y acostarlo con ellos, pero luego viene el problema de convencerlo de que se vuelva a su cuna.

No hay nada más agotador que tener que hacer frente a todas las tareas y tensiones del día sin un buen descanso nocturno. El efecto acumulativo de semanas y aun meses de noches en vela es devastador. Quizás el único consuelo que se tenga sea saber que la cosa no va a ser así siempre y que a todos los padres les ha ocurrido. Hablar de ello con otros padres puede ayudar a calmar la ansiedad y la desesperación.

La comida: núcleo de la relación entre madre y niño

Desde el mismo día del nacimiento la relación del bebé con su madre se centra en la comida, y sigue siendo así en gran medida para el niño de un año, aunque la rutina y la clase de comida que toma hayan cambiado. También es exacto decir que la identidad de madre y el deseo de ser buena madre capaz de nutrir a sus hijos está igualmente centrado alrededor del alimento que ofrece. La preparación del alimento y el darlo es muestra de su amor por el niño; en cierto sentido está ofreciéndole una parte de sí misma, como cuando le ofrecía el pecho o el biberón. Cuando el niño tiene hambre y toma gustoso su alimento, la madre se siente feliz y saca la conclusión de que está haciéndolo bien como madre. Cuando el niño no tiene apetito, no muestra interés o rechaza la comida, la madre tiene que soportar no solamente la angustia de por qué el niño no come sino además, allá en lo hondo de sí, la sensación de que es a ella a quien rechaza. Más adelante, en esta misma sección, hablaré con detalle de ciertas dificultades con la comida, muy corrientes, que encontraron una madre y su hijo.

La preocupación de que el niño no come bastante puede hacerse muy intensa, ya que viene en parte de la terrible responsabilidad que supone tener en sus manos la vida de otro ser. Si el niño se niega a comer o come muy poco, la madre se angustia pensando que el niño va a enfermar o incluso que puede morir de inanición. La realidad es que es rarísimo que un niño muera de inanición por no querer comer; los niños se aferran tenazmente a la vida y pueden sobrevivir con cantidades de alimento que a un adulto le parecen imposibles. Como promedio, los niños de un año toman tres comidas al día, parte en alimento sólido y parte en leche, más tal vez un biberón o una toma del pecho temprano por la mañana y tarde por la noche.

Hay que preguntarse cómo es ese niño promedio. Los niños varían enormemente en la cantidad de alimento que ingieren, no solamente de un niño a otro sino también un mismo niño de una semana a otra o de un mes a otro. Un episodio de dentición o una indisposición pueden poner al niño inapetente durante varios días. Cuando a los 18 meses Michael tuvo gripe, se negó durante una semana a comer cualquier cosa que no fuera plátano y leche con unos pocos cereales tostados. También pueden quitar el apetito un cambio en la rutina diaria o una conmoción en la familia. Cuando Jane tenía 21 meses sus padres se marcharon fuera una semana y la dejaron a ella y a un hermanito mayor al cuidado de una tía y su familia, que Jane conocía bien. Durante toda la semana, con gran consternación de su tía, Jane rehusó comer nada sólido. La tía sospechó que Jane reaccionaba así en protesta porque su madre la había dejado sola, y no la forzó a comer. La niña perdió algo de peso pero lo recuperó enseguida tan pronto como volvió a su rutina acostumbrada. Hay niños que no comen prácticamente nada fuera de la casa, mientras que otros que han estado comiendo mal en casa se animan a comer cuando están con otra gente. Un niño solo con una madre que esté angustiosamente pendiente de él se contagia de la ansiedad de la madre y acaba comiendo mal.

Manías hacia la comida

A esta edad muchos niños saben ya lo que les gusta y lo que no les gusta comer. A veces eso llega a ser una manía, como querer comer exclusivamente una cierta cosa durante un tiempo y luego, sin razón aparente, rechazarla y pasar a querer otra. La madre debe respetar esas preferencias, incluso si parecen manías. A esta edad de empezar a andar el niño necesita afianzar su identidad, necesita que se le dé la libertad de afirmarse obrando como si quisiera expresar algo así como «soy una persona que esta semana quiere manzana y no quiere zanahoria».

Igual que los adultos, los niños desarrollan aversión a ciertos sabores y a ciertas consistencias, y esos sentimientos han de ser respetados. Jane le cogió asco al pescado desde la primera vez que se lo dieron y siguió aborreciéndolo durante toda su infancia. Como muchos otros niños de su edad, Jane exploraba la posibilidad de una relación más distanciada con su madre, incluyendo en eso el control de lo que quería y lo que no quería que le dieran, lo que comía y en qué forma. Estaba aprendiendo a discriminar. Un niño puede rehusar la comida blandita de bebés y querer sólo comida de consistencia sólida, mientras otro puede aferrarse a las papillas de bebé. Ofreciendo las dos clases de comida en momentos distintos, la madre puede darle al niño la posibilidad de decidir por sí mismo.

Uno de los problemas más frecuentes y más difíciles que presentan los niños de esta edad es el de negarse de pronto y persistentemente a comer, sobre todo a comer alimento sólido. La madre encuentra muy duro aceptar que el niño rehúse una comida preparada con todo cuidado, y reacciona frente al niño rebelde con intensos sentimientos de impotencia, de resentimiento y de rabia. Es éste un terreno en el que la madre y el niño se pueden quedar bloqueados en una lucha por el poder, con la madre cada vez más furiosa y desmoralizada y el niño más decidido a no comer. Es frecuente que, llegados a esa situación, el niño no quiera más que el biberón o el pecho, lo cual hace que la madre se angustie porque el niño no vaya a crecer y vaya a seguir siendo bebé. Parece como si el niño estuviera usando su nueva seguridad en sí mismo para tiranizar y frustrar a su madre. En vez de ser un momento agradable, la hora de la comida se convierte en una lucha con tensiones y ansiedades. Cuando esto ocurre, y es inevitable que ocurra de cuando en cuando, puede hacerse necesario que otra persona entre en escena y ayude, alguien que no esté inmiscuido en la lucha, como el padre o un abuelo.

El no saber por qué ocurre todo esto, junto con la horrible sensación de que el niño en vez de avanzar en su desarrollo está retrocediendo o no está alimentándose como debiera, conduce a enfrentamientos encolerizados del tipo de «¡no te levantarás de esa silla hasta que no te hayas comido el último guisante!». Convendría que en ese momento nos paráramos a pensar qué importancia tiene que coma o no esos guisantes. Y si lo que el niño quiere es que se le dé el biberón antes que las demás cosas, ¿hay alguna buena razón para que no pueda hacerse así? Pensemos que algo debe haber pasado para que el niño quiera retroceder y volver a usar ese símbolo de su existencia de bebé.

Michael usaba ya una tacita pistero y estaba contento con ella, pero volvió a pedir el biberón cuando nació su hermanita. Expresaba así, de la única manera que sabía, sus celos del bebé y su deseo de volver a lo que había perdido no hacía aún mucho tiempo. A esta edad los niños quieren, de manera natural, hacerse mayores, pero en realidad son aún bebés y necesitan sentir que aún se los puede considerar como tales. Los padres de un niño de un año necesitan tener mucha sensibilidad para percibir cuándo deben dejar que el niño marche a su aire, incluso si a veces parece que va para atrás, y cuándo empujarlo para ayudarlo a hacerse mayor.

Si el niño de un año se niega tercamente a comer lo que su madre le ha preparado, no le queda a ésta sino tragarse su orgullo, ceder con una sonrisa y tratar de encontrar algo que el niño quiera comer o dejarlo todo para más tarde. El niño puede estar desafiando seriamente, y lo sabio por parte de la madre es llevarle la corriente y usar su ingenio para conseguir que el niño siga alimentándose razonablemente bien. A veces da resultado repetir lo mismo si hay algo que el niño haya tomado bien ese día. Aunque parezca una dieta rara, no está mal para salir del paso. Una pregunta más difícil de responder y que la madre tiene que plantearse es si no estará enfrentándose al niño por la comida porque siente que la postura terca y exigente del niño representa un reto a su autoridad, y porque siente resentimiento por el deseo del niño de decir «no» y de hacerse con más control. Es muy acongojadora esta situación en la que un niño de un año hace que sus padres se sientan impotentes, y se necesita tener mucha fortaleza de ánimo para no dejarse arrastrar a una lucha a ver quién es más grande y más fuerte.

Hacer que el niño coma él solito significa topar con los sentimientos encontrados que tiene acerca de hacer cosas por sí mismo. De manera natural el niño anhela hacerse mayor pero al mismo tiempo está poco dispuesto a renunciar al privilegio de ser un bebé y que le den de comer. Esto resalta más cuando en la casa hay otro bebé más pequeño. Cuando el niño empieza a querer comer por sí solo, la reacción de las madres es variable: unas lo aceptan y animan al niño más que otras. Es inevitable que se ponga todo más o menos perdido, y lo que hay que hacer es tomar medidas prácticas tales como dar de comer al niño en la cocina, donde después es más fácil limpiar, lo cual contribuye a hacer disminuir la ansiedad de la madre.

Para aprender ese nuevo arte que es comer solo, el niño necesita resistirse a los intentos de la madre de darle ella la comida. Además, el niño necesita examinar la comida con los dedos para percibir su consistencia. Un niño de un año despierto y curioso al que se le pone delante un plato de puré de patatas o un plato de carne no va a desperdiciar la oportunidad de escarbar, despachurrar y hasta llevarse una parte a la boca. La madre puede ayudar haciendo ruidos animosos con la boca y dándole de vez en cuando una cucharadita. Que el niño aprenda a usar la cuchara es un asunto que requiere ánimo y muchos ensayos, pero cuando el niño al fin lo logra le produce enorme placer.

Ahora quiero contar con más detalle las dificultades que la señora Martin tuvo con Anna, y lo hago porque éste es un ejemplo de una situación en la que con frecuencia se encuentran madres de niños de esta edad.

Anna fue desde siempre un bebé que comió mal. Fue lenta al mamar y cualquier cosa la distraía, de modo que tardaba mucho en cada toma. Además, después de cada toma devolvía una cantidad de leche que a su madre le parecía excesiva, a pesar de lo cual la niña medraba y cogía peso, aunque sin llegar nunca a ser un bebé grande. Su madre estaba siempre angustiada sobre si Anna se estaba alimentando bastante o no; le dio el pecho unas cuantas semanas y después le dio el biberón, al que Anna se acostumbró bien, con lo cual cesaron las ansiedades de la madre. Cuando cumplió el año, Anna tomaba biberón y algo de alimento sólido pero sin mucho entusiasmo. Véase a continuación cómo transcurría una comida corriente cuando Anna tenía 13 meses.

Anna estaba sentada en su sillita alta mirando cómo su madre le preparaba la comida. Su madre empezó por ofrecerle una tacita de zumo de naranja y Anna bebió un poco. Le ofreció entonces un biberón de agua pero después de unos traguitos lo rechazó con fuerza. Entonces la madre le ofreció un biberoncito de leche. Anna lo cogió con ansia, echó la cabeza para atrás y se lo bebió, con la mirada perdida en el techo. Entonces la madre le ofreció un poco de papilla de cereales. Tras tragar unas cuantas cucharadas, Anna se echó para atrás, arqueando la espalda y alejándose de la cuchara; se puso tiesa y trató de sa-

lirse de la silla. La madre intentó darle unas cuantas veces
más pero sin resultado, y dijo: «Está bien, no te voy a forzar», y la levantó de la silla. Puso música, y Anna comen-
zó a mover los brazos mientras escuchaba con signos de
agrado. Pasado un rato la madre volvió a poner a Anna en
su silla alta, y la niña se puso cada vez más frenética mientras la correa de la silla la sujetaba. Se distrajo momentá-
neamente con una tapadera con asa que la madre puso en
la bandeja de la silla, y con esto la madre consiguió po-
nerle unas cuantas cucharadas en la boca, pero Anna no
tardó en volver a resistirse a la cuchara igual que antes, y
la madre tuvo que cesar en sus intentos.

Anna muestra durante esta comida lo ambivalente
que es con respecto a tomar cucharadas de alimento sólido, y lo apegada que está a su biberón, en compañía del
cual se diría que se sale de la realidad y se aleja de su madre. Al principio la madre parece aceptar la decidida ne-
gativa de Anna pero luego aflora otra vez su propia angustia sobre si no le habrá dado bastante alimento y no puede
resistirse a probar a darle más. Anna acepta de momento y
luego se resiste de nuevo, obligando a la madre a ceder.
Esta clase de lucha por el poder que muchas madres tienen que mantener con niños que están empezando a andar corre el riesgo de terminar en algo serio en el caso de
Anna y su madre. ¿Habría alguna manera de evitar la esca-
lada en el enfrentamiento y de hacer que Anna acepte el
alimento sólido? De hecho, Anna mira con tranquilidad
cómo su madre prepara el alimento. Quizá si la madre

hubiera puesto en la bandeja algo que coger con los dedos, a Anna le habría sido más fácil cogerlo o dejarlo según el hambre que tuviera; o tal vez debería haber dejado en la bandeja el plato de papilla de cereales para que Anna lo examinara con sus dedos antes de comerlo, mientras preparaba el biberón. Por supuesto que con eso la madre habría tenido que aceptar que Anna lo ensuciara todo y que la niña siguiera sin querer comer, en cuyo caso, tras unas cuantas intentonas con la cuchara, lo mejor habría sido retirar la comida y darla por terminada. Lo importante aquí habría sido que la niña sintiera que el alimento sólido es algo sobre lo que ella ejerce un cierto control, y no algo que tiene que tragar. El apego de Anna por el biberón parece tener un elemento de rechazo de la madre, cosa que ésta no podía aceptar así como así. Anna no quería ni siquiera que su madre la tocara mientras tomaba el biberón. El evidente placer físico que el bebé saca de chupar del biberón (o el pecho de la madre), como se ve claramente que era el caso de Anna, molesta a veces a la madre además de preocuparla pensando que el bebé no va a dejarlo nunca.

Las comidas de Anna acabaron siendo motivo de mucha tensión. La madre trataba de distraer a la niña con toda una serie de juguetes mientras le metía una cucharadita en la boca, pero esa táctica fue dando menos resultado a medida que Anna se iba dando cuenta, hasta que la niña se resistió a todo intento de aproximación de la cuchara. La madre se exasperó tanto que dejó el plato de golpe sobre la bandeja diciendo «¡Muy bien, pues come tú sola!» y se marchó. Entonces Anna fue metiendo los dedos con cautela en la comida y se los fue chupando. La preocupación de la madre porque Anna se alimentara bien hacía que tratara de darle grandes cantidades de comida, y cuando lograba que se las tragara la niña las vomitaba después o, lo que era aún peor, durante la noche. En una ocasión consiguió que Anna se comiera un buen plato de huevos revueltos, tras lo cual quiso darle plátano triturado y yogur, y no es extraño que Anna los rechazara de plano. Los adultos sabemos que si nos ponen una gran fuente de comida delante cuando no tenemos hambre sentimos algo así como pavor, y lo mismo ocurre si se le ofrece mucha comida al niño que se siente desganado. Tampoco le hace mal al niño quedarse con un poquito de hambre; al contrario, esto puede incitarlo a tomar la comida siguiente con más gusto.

Control y disciplina

He aquí ahora que nuestro niño de un año quiere ya volar con sus propias alas, quiere dar sus primeros pasos hacia la separación y la autonomía. Probablemente una de las primeras palabras que aprenderá será «no», palabra esencial para él en su lucha por hacerse un individuo con una sensación de identidad y con ideas propias. Para poder progresar y aprender a hacer cosas por sí mismo tiene que defenderse del deseo de sus padres de hacer las cosas por él, lo que puede significar desarrollarse de una manera que no es la que sus padres habían imaginado o deseado. Como en el caso de la comida, generalmente es contraproducente tratar de forzar a un niño a amoldarse a algo o a ser quien no es. Por ejemplo, tratar de convertir en un exuberante extravertido a un niño que es por naturaleza tranquilo y tímido puede tener el efecto contrario, pues se le crea la ansiedad de percibir que los padres no lo aceptan tal como es.

Dejar que el niño diga «no»

Es importantísimo dar al niño el tiempo y las oportunidades para que se dé cuenta por sí mismo de cuáles son sus capacidades y sus recursos. Esto significa escucharlo y también, hasta donde sea posible, tomarlo en serio cuando dice «no». Si en esta fase del desarrollo no respetamos nunca su inclinación natural a decir *no*, el niño –que necesita absolutamente el amor y la aprobación de sus padres– puede hacerse excesivamente obediente o, por el contrario, puede hacerse excesivamente contestatario y obstinado. Si les preguntamos, la mayoría de los padres coinciden en que quieren que sus hijos al crecer desarrollen una voluntad propia y no se queden en conformistas esclavos de lo que otros quieran hacer de ellos. Inevitablemente, el decir *no* lleva en sí agresión y rechazo, y a esta edad el niño necesita experimentar con la expresión de ese sentimiento sin que por eso sea castigado o tenga que hacérsele sentir que es un niño malo. Si el niño tiene en general la sensación de que se lo respeta y de que se lo escucha cuando quiere hacer algo por sí mismo y a su ritmo, será más fácil que colabore cuando le digamos que es necesario que se dé prisa. De la misma manera, si se le da un grado razonable de libertad para explorar y ensayar las cosas, se someterá luego más fácilmente a las reglas y prohibiciones que sea importante que observe.

Disciplina y castigo

Es frecuente que los padres no sepan disciplinar a niños de esta edad. Algunos padres hasta dudan de que haya que disciplinarlos, temiendo que la disciplina inhiba el desarrollo natural y la libertad de expresión. En mi opinión, disciplina no tiene nada que ver con castigo, que generalmente significa infligir daño físico o privar al niño de algo. Todos los padres se ven obligados en algún momento a administrar algún castigo, como es un cachete en un momento de exasperación. Si el castigo es la excepción y no la regla, lo probable es que el niño lo valore correctamente y reconozca que en esa ocasión se ha pasado. A veces incluso puede ser saludable que el niño se dé cuenta de que la paciencia de los padres tiene un límite. Tampoco es razonable esperar que uno vaya a ser siempre comprensivo y siempre tolerante. Por lo demás, pegar al niño no hará sino volverlo más rebelde o, aún peor, hacerle sentir que la fuerza bruta es lo único que cuenta. Los padres tienden a tratar con demasiada severidad al niño cuando ven en éste conductas que les recuerdan algo que no les gusta de ellos mismos o algo que los deja a ellos en mal lugar. El niño de un año tiene fuertes sentimientos y reacciones impulsivas que pueden dominarlo y hacerle hacer cosas que lo asusten. En esas ocasiones necesita sentir que hay a su lado un padre o una madre u otra persona adulta que se mantiene firme y que controlará la situación parando la conducta indeseable sin demasiada necesidad de castigar.

Esta espinosa cuestión del control y la disciplina suele salir a la luz cuando llega a la casa un nuevo bebé y el niño mayor se llena de celos y odio por el recién llegado. Cuando el niño llega a no poder dominar sus sentimientos y de buena gana haría daño al bebé, se le pueden escapar expresiones de hostilidad controlada como un abrazo demasiado apretado, un golpecito o un empujón disimulados. Hay padres a los que se les hace difícil aceptar que su hijo pueda albergar tales sentimientos negativos y de odio, y hacen como que no los ven. Tampoco esto último es beneficioso a largo plazo, porque si el niño no se ve frenado se asusta de lo que es capaz de hacer, y si llega a dañar al niño se sentirá muy culpable. Es importante que los padres que se encuentran en esa situación sepan que esos sentimientos de los niños son normales y sepan, sin castigar al niño, ayudarlo a controlar sus sentimientos, al mismo tiempo que toman medidas que eviten que se pueda producir cualquier daño real.

Los padres han de ser firmes

Parte del oficio de ser padre de un niño de un año consiste en saber poner límites y decir *no*. Hay un sinfín de ocasiones en las que es necesario un no, por ejemplo cuando el niño ya ha comido suficientes dulces por ese día, o ya ha estado bastante tiempo jugando en el baño. En tales momentos el enfrentamiento es inevitable y hay que aguantar la rabia del niño que se siente frustrado. Si el padre y la madre coinciden en general en dónde han de estar los límites no suele haber dificultad en salir de la situación. Por el contrario, el niño se sentirá completamente perdido si sus padres discuten sobre ello o si uno de los padres es muy indulgente y deja que sea siempre el otro el malo que impone la disciplina. El resultado habitual de eso será que el niño manipulará a los padres enfrentándolos al uno contra el otro. A veces al niño le hace bien salirse con la suya, o decir que ha engañado a papá o a mamá, pero debe quedar siempre claro cuándo va de broma y cuándo va en serio.

El control de esfínteres

El control y la disciplina en general tienen que ver con el control de esfínteres. Por lo general, no es realista pretender que un niño que aún no ha cumplido los dos años se mantenga siempre limpio y seco, ya que aún no habrá alcanzado el completo control de sus esfínteres. Lo más importante es que el niño llegue a estar suficientemente maduro emocionalmente y tenga la voluntad de cooperar en el proceso. Si se lo fuerza demasiado pronto, puede responder bien al principio y recaer luego, cuando trate de lograr mejor control de su cuerpo en otros aspectos.

Los bebés asocian estrechamente las materias de su cuerpo con sentimientos buenos y malos. Un vientre repleto de leche calentita, una boca asida a un pezón del que chupar los llena de una sensación corporal agradable que relacionan con la presencia de una madre que cuida de ellos. Una vejiga llena de orina o un intestino lleno de heces o distendido por gases les produce dolor e incomodidad, que alivian expulsando la materia, con lo que se restablece la sensación agradable. El bebé se ve animado a esa operación por la madre, que le dice «muy bien» y «así es mejor», indicando con eso que a ella le agrada cuando el niño empapa los pañales o eructa. Después de todo, pañales ensuciados con regularidad son una buena señal de que el niño está funcionando bien y saliendo adelante. A medida que el bebé crece se hace cada vez más consciente del placer que proporcionan a la madre las materias que expulsa, y acaba considerándolas un regalo para ella.

Durante el segundo año, cuando los niños luchan por establecer su separación, empiezan a considerar que sus heces y su orina son de su propiedad y que las pueden echar fuera o las pueden retener dentro a voluntad, y es muy importante que reconozcamos y respetemos esa voluntad. La madre advirtió que Sunni, que tenía unos 15 meses, solía esconderse en algún sitio tranquilo, generalmente metiéndose entre un armario y la pared, y allí se concentraba mucho y defecaba en el pañal, no permitiendo mientras tanto que su madre se acercara. Cuando ya había salido de su «rincón de la caca», como lo llamaba humorísticamente su madre, permitía que ésta la limpiara. Así siguió varios meses hasta que se la pudo persuadir de utilizar el orinal.

Evitar batallas violentas

Los niños aprenden mejor a controlar sus esfínteres si se les permite que participen voluntariamente en el proceso de entrenamiento. A la mayoría de los niños les cuesta mucho tiempo aprender a retener completamente las heces y la orina, y antes de conseguirlo del todo pasan por muchos accidentes, que unas veces son genuinos y otras son intencionados. Es evidente que atraviesan períodos en los que simplemente no quieren ser conformistas porque ven que pueden usar su incontinencia como arma secreta con la que desafiar a la madre. Si la madre es capaz de soportar los momentos de rabia y desafío del niño en torno a este asunto, y aprovechar lo que en ellos hay de impulso constructivo de niño que quiere ser mayor, será menos probable que los dos se enzarcen en una lucha por el poder. Según las señales que el niño vaya dando, habrá que ir animándolo con mucho tacto a hacerse mayorcito y a poner los desechos del cuerpo en el rango que les corresponde, ya que el niño ha de llegar a comprender que sus desechos no son, desgraciadamente, más que eso, desechos, y no los tesoros maravillosos que suponía cuando era bebé. Si reprochamos al niño con demasiada brusquedad por haberse ensuciado, se sentirá hundido y humillado creyendo que tenemos el concepto de que él mismo no es más que algo sucio.

Lo probable es que sea ya hacia el final del segundo año cuando el niño le indique a su madre que tiene los pañales sucios, sea moviéndose de una manera rara, sea poniendo una cierta expresión en la cara o sea, como en el caso de Sunni, yéndose a un lugar determinado de la casa. Quizás a esta edad el niño tenga ya sus propias palabras para designar las heces y la orina. Esa capacidad de ponerles nombre es ya un paso hacia su control. Es útil tener por la casa un orinal desde mucho antes de que vaya a ser utilizado, para que la madre pueda hablarle de él al bebé, enseñárselo y explicarle para qué sirve. Más adelante podrá explicarle dónde ponen sus desechos los mayores como papá y mamá, y podrá sugerirle que a lo mejor él querrá hacer lo mismo. Una vez que el bebé se ha hecho con la idea de usar el orinal, se lo puede preparar para dar el paso siguiente, que vendrá más tarde, de usar el retrete, permitiéndole que con la ayuda de la madre vierta sus desechos en la taza y tire después de la cadena.

Las rabietas

Hemos visto que, en esta fase del desarrollo, el niño se siente como empujado en dos direcciones. Siente una necesidad natural de buscar su propio camino, de tener mayor control de sí mismo y de su propio mundo. Para hacerlo tiene que disociarse de su madre y alejarse de ella.

El ansia de avanzar y de crecer choca frecuentemente con esa otra ansia que es la de seguir manteniendo la seguridad que le confiere la relación de bebé con la madre. Durante este estadio, cada vez que el niño necesita a sus padres y se da cuenta de que no puede controlar las situaciones como él quisiera, siente con mayor claridad y dolor su pequeñez y su impotencia. El conflicto puede llegar a hacerse insoportable, los sentimientos explotan de forma incontrolada y el niño tiene una rabieta.

Las rabietas son una mezcla de rabia y frustración. Cuando los sentimientos llegan a hacerse insoportables el niño ya no puede deshacerse de ellos más que de forma violenta, como hacía gritando cuando era bebé. Estar con un niño que tiene una rabieta en toda regla es una experiencia espantosa para los padres. El niño mismo puede tener miedo de que la propia violencia de sus sentimientos pueda hacerle daño a él o a su madre. Si la rabieta se produce en un lugar público, como ocurre tantas veces, y crea una situación embarazosa, es mejor para el niño y para los padres llevarse al niño a un lugar tranquilo donde se lo pueda tener hasta que se calme. Entonces habrá que ver qué es lo que ha desencadenado la rabieta. Una madre contó que cada vez que la niña tenía una rabieta en casa la ponía en un rincón y se servía así de las dos paredes para contenerla mejor, con lo cual también la madre controlaba así mejor su propia rabia. Algunos niños no quieren ver a la madre cerca de ellos cuando tienen una rabieta, y es mejor dejarlos solos. Ellos mismos se recuperan espontáneamente, y esto da oportunidad a la madre para que ella también se calme. Después de esto es muy importante recobrar la relación amorosa con el niño, y más tarde hablar con él de lo que ha ocurrido, en lenguaje sencillo, para llegar a saber qué ha pasado.

Hasta cierto punto, las rabietas forman parte del proceso de crecimiento y hay que soportarlas. Si se dan muy seguidas los padres habrán de ver si no están coartando demasiado la voluntad del niño o exigiéndole niveles de conducta demasiado altos. Por otra parte, si se otorga a un niño demasiada libertad y se lo priva de la seguridad que le da el saber que los padres le van a poner límites en cuanto se pase, el niño puede verse impelido a hacer más de lo que es capaz.

Los miedos

Los niños de esta edad pueden sufrir toda clase de miedos, miedos pequeños y miedos grandes, miedos que a veces pueden parecer completamente irracionales y que pueden seguir aun cuando demos al niño toda clase de explicaciones y de garantías. Es corriente el miedo a los ruidos fuertes tales como el que hace la aspiradora o el que se produce al tirar de la cadena del retrete. Esos miedos pueden desaparecer si el niño se familiariza con ellos. Si el miedo persiste, no hay que someter al niño intencionadamente a los ruidos que lo provocan ya que ello no curará el miedo y éste puede llegar a convertirse en terror.

Es difícil llegar a saber de dónde vienen estos miedos, ya que a veces aparecen de pronto y sin causa aparente, como si respondieran a motivos internos del niño. Aunque el adulto esté seguro de que no hay nada de qué asustarse, debe comprender que el niño tiene sus razones para sentir miedo. Como hemos visto a propósito de las rabietas, el niño tiene sentimientos muy fuertes, unos cálidos y amorosos, otros rabiosos y destructivos, todos ellos relacionados con su madre, que sigue siendo la figura central de su vida y el blanco de todas sus emociones. Cuando prevalecen sus sentimientos de rabia y destrucción, teme que éstos dañen a su madre y también que ésta se enfade y se vuelva contra él. Se comprende que puedan aparecer de pronto miedos inexplicables como respuesta a sentimientos destructivos que el niño no quiere reconocer, y el niño responde con miedo al ruido del agua del retrete, que podría arrastrarlo a él tal como arrastra sus heces, o a los dientes de un perro que podría morderlo. Es tranquilizante saber que la mayoría de estos miedos pasan sin más.

En este capítulo hemos visto algunas de las angustias y preocupaciones por las que pasan casi todos los padres de niños de esta edad. La crianza de los niños es un trabajo duro tanto física como emocionalmente, un trabajo que requiere arte, paciencia y mucho aguante. Cuando en la madrugada se está a solas con un niño llorón, o cuando se teme por un niño que no tiene apetito, o cuando se llega a la exasperación con un niño que se niega a todo, parece increíble que ese niño pueda llegar un día a ser un adulto y que esas cosas le dejen poca huella. Hablar de estas cosas con el compañero o la compañera o con alguien muy amigo puede ser nuestra salvación, puede ayudarnos a ver las cosas con cierta perspectiva y hasta con un poco de humor. También es muy útil hablar con los padres de niños algo mayores que el nuestro, ya que estos padres han tenido experiencias parecidas a las nuestras. Criar un niño de esta edad puede llegar a ser un trabajo muy solitario, y unirse a toda clase de grupos de madres de niños de la misma edad es bueno tanto para la madre como para el niño. La madre que cuenta con una buena red de apoyo puede recargar sus baterías de vez en cuando y tomarse tiempo libre para disfrutar de la experiencia encantadora e irrepetible de la vida de ese niño.

CAPÍTULO CUARTO

EL JUEGO

¿Por qué juegan los niños? La respuesta obvia, pero que vale la pena repetir, es que juegan porque les gusta; les gusta la experiencia física y emocional de jugar y la oportunidad de explorar el entorno. Para el niño pequeño que todavía no habla mucho, el juego es también un modo de expresar sus sentimientos íntimos y su saber. Para el bienestar del niño el juego es tan vital como el comer y el dormir.

Es importante que el niño tenga juguetes y material de juego, pero darle demasiados juguetes tiene el inconveniente, además de ser muy caro, de que puede inhibir la inventiva del niño para encontrar objetos de juego por sí mismo e inventar con ellos sus propios juegos. También es importante que el espacio donde se juega sea seguro, y éste es el momento de hacer de la casa el lugar menos peligroso posible y de retirar del alcance del niño todos los objetos preciosos. Con ello se evitarán muchos inconvenientes tanto para los padres como para el niño, y se reservarán las energías para resolver los conflictos que sean inevitables entre lo que el niño quiere y lo que los padres creen que el niño puede hacer sin peligro.

En su segundo año de vida, los niños empiezan a conocer el mundo exterior y aprenden a manejarlo mediante el juego. Con el juego exploran también la naturaleza y la intensidad de sus propios sentimientos y sus recursos frente al mundo exterior. Lo consiguen manipulando y explorando las posibilidades que ofrecen los juguetes y los diversos objetos de la casa. Aprenden observando e imitando a otros niños y a los adultos. El niño de un año es vivaz y se interesa por todo, incluso por cosas de apariencia trivial que no ejercen ya ninguna fascinación sobre los adultos. Hay algo conmovedor en la tremenda seriedad con que el niño de un año se dedica a sus descubrimientos. A. A. Milne, autor de los libros de Winnie-the-Pooh, ha captado esa cualidad enternecedora y la expresa con extraordinario humor, por ejemplo, en el relato del cumpleaños de Eeyore, cuando Pooh le da un tarro de miel vacío (no ha podido resistir la tentación de comerse la miel) y Piglet le da un globo (ya estallado porque se le había caído sin querer):

Cuando Eeyore vio el tarro se puso muy contento.

−¡Qué bien! −dijo−. Me parece que el globo va a poder entrar en el tarro.

−No lo creas, Eeyore −dijo Pooh−. Los globos son demasiado grandes para entrar en los tarros. A los globos hay que sostenerlos y...

−El mío sí entra −replicó Eeyore, ufano−. Mira, Piglet. −Y, mientras Piglet miraba decepcionado, Eeyore sostuvo el globo entre los dientes y lo fue metiendo cuidadosamente dentro del tarro; lo sacó y lo puso en el suelo; lo volvió a coger y lo metió otra vez dentro con cuidado.

−Pues es verdad −dijo Pooh−. Cabe dentro.

−Así es −observó Piglet−, y puede salir.

−¿Verdad que sí? −exclamó Eeyore−. Entra y sale como si nada.

−Me alegro −repuso Pooh satisfecho− de haberte dado un tarro que sirve para meter cosas dentro.

−Yo me alegro mucho −añadió Piglet, también muy ufano− de haberte dado una cosa que sirve para meterla en el tarro.

Pero Eeyore no escuchaba. Estaba encantado sacando y metiendo el globo...

Si se les da libertad y oportunidades, los niños de esta edad son capaces de inventarse cualquier juego interesante con los objetos más corrientes, cosa que los adultos ya no sabemos hacer. Tal vez sea esto lo que hace que los miremos con asombro cuando están concentrados en sus juegos. Al verlos embebidos en lo que para un adulto no sería sino una actividad sin importancia, tenemos la sensación de que jugar no es solamente divertido sino también cosa muy seria.

Objetos de juego

Hacia el final del primer año y comienzo del segundo al niño le gustan los juguetes con los que se puede golpear, que se pueden empujar o estrujar y de los que se puede tirar. Le gustan cosas como cacerolas, tapaderas, cucharas. Le encanta darles vueltas a las asas, a los picaportes, a las llaves, a los zapatos. Seguro que chupará todas esas cosas, las morderá, las tirará, las pondrá del revés, se sentará encima y les dará puntapiés. La curiosidad del niño de un año es insaciable. Con todo eso el niño aprende acerca de las propiedades de las cosas, cómo funcionan, lo que puede hacer con ellas, para qué sirven.

A los 12 meses muchos niños se interesan por toda clase de recipientes y por las cosas que tienen que ver con ellos, como tapaderas, puertas y asas. Muchos niños de esta edad pasarán tiempo, como Eeyore, poniendo unas cosas dentro de otras y, lo que suele ser más importante, volcándolas. Así, un juego en el que haya que meter figuras en sus huecos servirá primero para jugar a poner las figuras en sus agujeros correspondientes. En la misma línea que lo anterior está su interés por los armarios, por abrirlos y sacar fuera todo su contenido. Un niño llamado Jo inventó un juego que lo mantuvo entretenido durante mucho tiempo. Jo se sentaba en el suelo de la cocina, sacaba fuera todas las cacerolas y las tapas y se las ponía encima al perro, que aguantaba complaciente tumbado en el suelo a su lado. De vez en cuando el perro se levantaba y tiraba todo al suelo, con lo cual Jo estallaba en carcajadas. A Anna le fascinaba la trampilla del gato. Había visto cómo el gato salía por ahí y se dedicaba a empujarla hacia afuera y hacia adentro, y a veces hacía pasar objetos por el agujero.

Explorar jugando

Poner cosas unas encima de otras y luego tumbarlas todas es algo que los niños de esta edad encuentran tan fascinante que no tenemos más remedio que pensar que este juego tiene para ellos alguna significación especial. Ya vimos cómo el bebé, mientras tomaba el pecho o el biberón, se entretenía en explorar la cara de la madre, primero con los ojos y luego con las manos, acariciándola o metiéndole los dedos en la boca o en la nariz. En los últimos meses ha estado aprendiendo a conocer su propio cuerpo, metiéndose un dedo en el oído, jugando con los dedos de sus pies y con sus genitales sentado en el baño. A partir de esta edad los niños y las niñas se interesan por las diferencias que tienen sus genitales y por la diferente manera que tienen de orinar. Además, cuando el niño echa los guisantes en su taza llena de jugo de naranja o las piezas de un rompecabezas dentro de una cacerola, no lo hace pensando en hacer las cosas «bien» sino que intenta averiguar lo que pasa cuando se mezclan cosas: está aprendiendo a usar el espacio y las relaciones que hay entre las distintas cosas. No tardará en disfrutar muchísimo haciendo pruebas parecidas con agua en el baño o en el lavabo.

A esta edad la exploración que el niño hace del mundo exterior va unida a la que hace de su propio cuerpo, y la mente del niño empieza también a imaginar cómo son otras personas, aunque todavía no pueda imaginárselas muy bien. De esto último tenemos el ejemplo conmovedor contado por la madre de Gemma, una niña de 13 meses. Cuando estaba disgustada Gemma solía chuparse el dedo pulgar y al mismo tiempo retorcerse un mechón del cabello. Un día que vio que su padre estaba disgustado se subió en sus rodillas y se puso a chuparse el pulgar al mismo tiempo que retorcía un mechón de cabello a su padre.

Muchos niños de alrededor de 12 meses se interesan mucho por ver cómo comen y beben los mayores, y con frecuencia llegan a querer dar de comer a la madre. Barney se quedaba clavado mirando la manera en que su padre echaba traguitos del vaso, fascinado, al parecer, por la nuez que subía y bajaba.

Jugar con el niño

Los niños de esta edad suelen quedarse embobados con lo que hace otro niño, o se quedan mirando con toda curiosidad y sin ninguna inhibición lo que una madre está haciendo con su bebé en el supermercado o en el autobús. A esta edad a los niños les interesa lo que ocurre entre ellos, identifican a los demás con ellos mismos y con su madre. Les gustan mucho los juegos de dos, tales como «¿dónde está la nariz de mamá, dónde está la nariz de Peter?» y «este dedo compró un huevo, éste lo cascó, éste lo frió...», y con esos juegos aprenden a diferenciarse de los demás y a darse cuenta de quién y cómo es cada uno.

Después de varias semanas de estar poniendo unas cosas dentro de otras y volcándolas todas otra vez, el niño se hace más habilidoso y aprende a juzgar de antemano qué cosas caben dentro de otras, y le toma gusto a utilizar, por ejemplo, los juegos de la serie de vasos que entran cada uno dentro de otro. Empezará a construir pequeñas torres de cubos, sobre todo por el placer de tirarlas. Jugar a tirar o a esparcir cosas le permite al niño expresar sus deseos destructivos de forma controlada y sin peligro. En la segunda mitad de este segundo año el niño se interesa ya más en colocar piezas en sus huecos correspondientes y en construir rompecabezas sencillos. La realización de estas tareas le da al niño un sentido de orden, de logro, y la satisfacción de ver lo que es capaz de hacer.

Mientras juega, el niño de esta edad necesita estar junto a su madre o cerca, para poder acudir a ella, enseñarle lo que está haciendo, ganar su aprobación y obtener su ayuda. Es un enorme descanso para la madre cuando el niño empieza ya a tomarle el gusto a jugar solito mientras ella se ocupa de otras cosas. El tiempo que los niños pueden pasar felices jugando solos es variable y depende en gran parte del tiempo que hayan pasado antes jugando con una madre atenta y amorosa. Aunque el niño juegue ya solo, sigue siendo muy importante para su desarrollo que la madre se tome algún tiempo para jugar con él, preferiblemente respondiendo a las iniciativas del niño, ayudándolo a jugar antes que dirigiendo ella el juego.

A veces los padres se impacientan al ver que el niño quiere hacer algo y lo hace torpemente. Es grande la tentación de hacerlo ellos o de enseñarle al niño a hacerlo mejor o más rápidamente. Sin embargo, proceder siempre así acaba minando la confianza del niño y además le impide ejercitarse en la perseverancia y en tolerar la frustración. La señora Ramsey era aficionada a hacer eso cuando jugaba con Tessa, su niña de 13 meses. Ponía un conejito de peluche en una silla de tal forma que Tessa le veía sólo la cara. La niña veía en eso la posibilidad de un juego y gateaba sonriendo hacia la silla, pero antes de que pudiera llegar a ella la madre cogía el conejito y se lo daba diciéndole: «Toma, cógelo y abrázalo». A Tessa no le gustaba que la madre se le anticipara, y lo demostraba cogiendo el conejito, apretándolo muy fuerte contra su pecho y tirándolo a continuación. Unos meses más tarde Tessa mostró de nuevo lo frustrada que se sentía ante la excesiva solicitud de su madre. Se había sentado junto al andador, que estaba lleno de cubos de rompecabezas. Con bastante trabajo consiguió coger uno de los cubos y ponerlo en el suelo. Iba a coger otro cuando su madre se le adelantó, cogió varios cubos y le hizo una torre con todos ellos. Tessa agitó las manos y se puso a llorar a gritos. Al instante, su madre se dio cuenta de lo que había hecho, puso los cubos donde estaban y le dijo: «Lo siento».

El comienzo del juego social

Hasta el final del segundo año los niños no empiezan a jugar juntos, pero ya antes de eso se benefician de estar juntos con otros de su misma edad y de jugar a su lado. Al principio suelen limitarse a mirarse uno a otro, como si estuvieran haciéndose idea de cómo son. Poco a poco empiezan a seguirse unos a otros, a imitarse y a darse cosas. El poder estar con otro niño fuera de la familia es una experiencia inestimable, ya que proporciona la oportunidad de explorar otra clase de relación aparte de la relación cerrada e intensa de su familia. Entre los niños de familias distintas no se dan los celos con tanta crudeza y no se compite por la atención de la madre.

El niño que se acostumbra desde pequeñito a estar con otros niños se acostumbra mejor a establecer relaciones sociales y le será más fácil saber defenderse más tarde, cuando empiecen los inevitables actos de quitarse los juguetes unos a otros. No es realista pretender que los niños de esta edad sepan compartir juguetes, que es algo difícil de aprender. De momento el niño se concentra en saber lo que es suyo y lo que puede hacer con las cosas.

El juego como medio de encontrar soluciones

Uno de los efectos más importantes que tiene el juego es que ayuda al niño a manejar las complicadas emociones de su vida, como amor, odio, agresividad y ansiedad. Como hemos visto en los capítulos precedentes, el niño siente todas esas emociones principalmente en relación con la madre. Ahora ya se da más cuenta de que la madre que le da de comer y le da consuelo y a la que él ama, es también la que provoca sus celos y su agresividad cuando lo deja o lo frustra. Una de las cosas que hizo Tessa cuando se sintió rabiosa y frustrada con su madre fue abrazar al conejito muy fuerte y, acto seguido, arrojarlo de sí violentamente. Expresaba así con el conejito los mismos sentimientos encontrados que tenía con la madre, pero de un modo que no ofrecía peligro de hacerle daño.

Arrojar los juguetes lejos y cogerlos de nuevo, o hacer que otro se los coja, puede ser el modo que el niño tiene a veces de dar salida a la ansiedad que le produce el que la gente se vaya y vuelva. El juego de asomarse y esconderse, el «cu, cu...¡tras!», que divierte tanto a los niños de esta edad, tiene también ese efecto de hacer que, jugando, el niño tenga control de las idas y venidas de su madre, control del que carece cuando la madre sale de casa o cuando lo deja en la cuna por la noche. Peter, de 13 meses, se quedó una tarde con su abuelo mientras su madre salía de compras. En el momento en que la madre salió, Peter fue a la puerta y se quedó allí muy triste. Pasados unos minutos volvió junto a su abuelo, quien lo sentó en sus rodillas. Peter encontró un lápiz que el abuelo tenía en el bolsillo y se inventó un juego consistente en pasar el lápiz por entre las manos del abuelo y tirarlo al suelo, tras lo cual se reía, saltaba al suelo, recogía el lápiz y repetía el juego. Parecía estar explorando y dándole vueltas a la idea de que es posible tirar las cosas y volverlas a encontrar, tal vez comparando con la manera como él se sintió tirado cuando su madre se fue.

El conocido pediatra y psicoanalista inglés Donald Winnicott dijo en cierta ocasión que «siempre hay un elemento de ansiedad en los juegos de los niños». Vemos que Peter dominó la tristeza que le produjo la marcha de su madre inventándose un juego. El juego lo ayudó a escapar de una situación real que era dolorosa y que estaba fuera de su control, y su ansiedad obró estimulando su actividad. También Zoë inventó un juego en una ocasión en que su madre salió de compras y la dejó sola con su padre. Después de estar un rato desconsolada andando de un lado para otro, fue y cogió un viejo bolso de su madre, que ésta le había dado para jugar, se lo echó al brazo y se dedicó a entrar y salir del salón diciendo «adiós» cada vez. Jugando a ser la mamá que se marcha llegó a poder aceptar mejor la realidad de la niñita dejada por su mamá.

La angustia que impide poder jugar

Demasiada angustia o tensión puede tener un efecto contraproducente e inhibir la imaginación para jugar. Los padres de Zoë se fueron durante una semana, se llevaron con ellos a la hermana mayor, y dejaron a Zoë en casa con los abuelos. Aunque en muchos aspectos Zoë soportó muy bien la larga separación de sus padres, se mostró durante ese tiempo apática para jugar, como si se hubiera quedado sin energía. Por ejemplo, justo antes de que se marcharan los padres había aprendido a subir a pie las escaleras, pero durante la semana que estuvieron fuera volvió a subirlas a gatas. También dejó de hacer un rompecabezas que ya tenía aprendido y que le gustaba mucho, y se limitó a poner las piezas encima del tablero sin colocarlas en sus huecos correspondientes.

Una amiga de la madre relató detalles de la conducta de Zoë durante esa semana: «Zoë se quedó inmóvil mientras le cambiaban el pañal en vez de intentar levantarse como de costumbre. Señaló a la ventana y dijo "gúa"». La amiga recordó que la madre acostumbraba a llevarla a la ventana para ver una grúa que había fuera en unas obras y Zoë decía siempre «gúa», pero esta vez su tono de voz era apático. Cuando la pusieron en el suelo se fue a buscar un libro y trató de abrirlo por el lado del lomo y, al no lograrlo, se puso a arrancarle trozos y a tirarlos alrededor riéndose entre dientes. A continuación se fue a buscar su conejito de peluche, se lo enseñó a la amiga y lo tiró al suelo, y lo mismo fue haciendo con varios otros juguetes. Luego se fue a buscar dos cochecitos y un muñequito de hombre, que sacó de la casa de muñecas, y se paseó con ellos hasta el recibidor como si no supiera qué hacer con ellos. Acabó tirándolos al suelo. Entonces cogió el hombrecito, metió el dedo en el agujero que tenía en la base y se entretuvo largo tiempo con él así cogido, chupándolo de vez en cuando. Después se sentó en su caballito de cartón y se meció en él un ratito. Luego pidió que la levantaran, fue un momento a la casa de muñecas, volvió a montarse en el caballito y empezó de nuevo a mecerse en él.

Normalmente Zoë era una niñita decidida y llena de energía, pero en este episodio que he relatado parece estar en tensión. Se consuela un poco con el recuerdo de la «gúa» de la madre y con chupar el hombrecito que tiene sujeto en el dedo. Cuando vuelve a la casa de muñecas parece como si fuera a ser capaz de ponerse otra vez a jugar, pero vuelve a refugiarse en el consuelo de mecerse en el caballito.

Juego y desarrollo

A medida que avanza el segundo año de edad, el juego del niño se hace más imaginativo como, por ejemplo, imitando cosas que ve hacer a la madre o al padre. A esta edad tanto las niñas como los niños juegan a ser madres y a dar la comida o lavar a sus muñecos. Prueban, para variar, a hacer que son otra persona y no el pequeño niño dependiente que son. A Kate, de 18 meses, le gustaban mucho las llaves, tanto que al cabo de un tiempo no le bastaban ya las llaves de plástico: quería llaves de verdad, y hubo que buscarle un manojo de llaves inútiles. Las probaba donde podía, en cerraduras y otros agujeros, y las llevaba siempre encima. Una vez las encontraron dentro de una cacerola en el armario de la cocina. Era un tiempo en que se sentía muy unida al padre y lo recibía por las tardes con gran alegría. Parecía como si tuviera muchas ganas de ser como el padre, cuya llegada a la casa era anunciada por el ruido de la llave en la puerta de entrada. Kate miraba también con atención extraordinaria la manera como su madre ponía la llave de contacto y hacía arrancar el motor del coche. Con todo esto tal vez expresara, entre otras cosas, su anhelo de controlar de alguna manera las idas y venidas de sus padres.

Al final de este año el niño tiene ya mayor capacidad para jugar con otros niños, y es muy importante que se le proporcionen las oportunidades de hacerlo. El niño empieza entonces a inventar juegos que son pura comedia, en los que representa papeles diversos, se turna en ellos y establece reglas.

A lo largo de este segundo año de su vida el niño ha pasado de ser un bebé con un conocimiento muy limitado del mundo a ser un niño que ya anda y que está ansioso por asomarse a la vida. Llegado a la vida emocional e intelectual de los dos años, el niño parece ser ya una personita entera lista para habérselas con el ancho mundo.

BIBLIOGRAFÍA

Bowlby, John, *The Making and Breaking of Affectional Bonds*, Londres, Tavistock Publications, 1979.

Daws, Dilys, *Through the Night*, Londres, Free Association Books, 1989.

Harris, Martha, *Thinking about Parents and Young Children*, Clunie Press, 1975.

Stern, Daniel, *The Diary of a Baby*, Nueva York, Basic Books, 1990 (trad. cast.: *Diario de un bebé*, Barcelona, Ediciones B, 1991).

Winnicott, D. W., *The Child, the Family and the Outside World*, Penguin Books, 1964.

23